Por que uns e não outros?

Jailson de Souza e Silva

Por que uns e não outros?

Caminhada de jovens pobres para a universidade

3ª edição revista

CONTRAPONTO

Direitos adquiridos para a língua portuguesa por
CONTRAPONTO EDITORA LTDA.
Av. Franklin Roosevelt 23 / 1405
Rio de Janeiro, RJ – CEP 20021-120
Tel./fax: (21) 2544-0206 / 2215-6148
Site: www.contrapontoeditora.com.br
E-mail: contato@contrapontoeditora.com.br

Texto revisado segundo o novo
Acordo Ortográfico da Língua Portuguesa

Revisão de originais Tereza da Rocha
Projeto gráfico Regina Ferraz

3ª edição revista, agosto de 2018
Tiragem: 2.000 exemplares

CIP-BRASIL. CATALOGAÇÃO NA PUBLICAÇÃO
SINDICATO NACIONAL DOS EDITORES DE LIVROS, RJ

S58p   Silva, Jailson de Souza e, 1960-
   Por que uns e não outros? : caminhada de jovens pobres
  para a universidade / Jailson de Souza e Silva. – 3. ed. revista –
  Rio de Janeiro : Contraponto, 2018.
   208 p. ; 21 cm.

   ISBN 978-85-7866-126-7

   1. Educação. 2. Sociologia educacional. I. Título.

17-46849
              CDD: 370.1
              CDU: 37.01

A Eliana, mulher de minha vida, toda vida

O presente livro é fruto de um rico processo, que começou bem antes de sua escrita. Não é possível, assim, enumerar o conjunto de pessoas que participou de sua elaboração, das mais variadas formas. Não posso deixar, todavia, de registrar a contribuição de algumas pessoas muito significativas:

João Jacinto e Maria da Glória
– pela aposta no futuro e pela entrega de suas vidas a ele

Paula e João Aleixo
– amores cuja existência estimula minha crença e a busca de uma vida mais plena

Zaia Brandão
– por ser a expressão da orientadora plena: norteadora, estimuladora, questionadora e, sobretudo, companheira

Jair, Jalmir, Gilmar e Jorge
– manos de sangue e vida, sempre presentes

o Observatório de Favelas
– construção coletiva que dá sentido a minha caminhada na vida humana

os entrevistados
– que, no trabalho comum, se tornaram companheiros de caminhada

a Redes de Desenvolvimento da Maré
– instituição que realiza no cotidiano a utopia de um projeto de desenvolvimento pleno para a Maré

Meu problema principal é tentar compreender o que acontecer comigo. Minha trajetória pode ser descrita como milagrosa, acho eu – uma ascensão a um lugar de que não faço parte. Por essa razão, embora todo meu trabalho seja uma espécie de autobiografia, trata-se de um trabalho para pessoas que têm o mesmo tipo de trajetória e a mesma necessidade de compreender.

Pierre Bourdieu, 1996a

Sumário

Apêndice

Por que uns e não outros?
quinze anos depois

Defendi minha tese de doutorado em 1999; em 2003, lancei sua versão em livro. Desde então, ele se tornou uma referência no campo da educação – e para além dele, com 6.000 exemplares vendidos, esgotado há anos nas livrarias. A principal razão disso é algo, de certa forma, lamentável: a tese foi a primeira no Brasil a tratar do sucesso escolar de jovens pobres oriundos da escola pública; o livro foi tão inédito quanto. As pesquisas e obras até então enfatizavam, acima de tudo, o "fracasso escolar" dos estudantes oriundos das periferias. A partir daí, aumentaram as obras que trabalham as trajetórias escolares numa perspectiva positiva, mas muito há para se caminhar nessa perspectiva.

Para além da tese, a produção no doutorado teve outras contribuições que reputo valiosas: nascido e crescido na periferia carioca, inclusive tendo morado na Maré durante vários anos na vida adulta, fui da primeira geração de universitários em minha família nordestina. O reconhecimento de que a presença de estudantes de ensino superior na Maré era de pouco mais de 0,5 na década de 1990 fez com que fundássemos – moradores e ex-moradores locais que chegamos à universidade – o Centro de Estudos Sociais da Maré e sua sucessora, a Redes de Desenvolvimento da Maré. Essa organização se tornou a mais forte da maior favela do Rio de Janeiro e, dentre muitas outras ações, contribuiu para que mais de mil jovens locais chegassem ao ensino superior e à pós-graduação.

No processo, fundamos o Observatório de Favelas e nele desenvolvemos uma série de conceitos que se tornaram centrais para uma compreensão inovadora e engajada da realidade das favelas e periferias cariocas. No caso, trata-se do que denominamos de "paradigma da potência". Com efeito, os territórios populares foram historicamente compreendidos a partir das noções de carência, ausência e precariedade, expressões da exclusão, da violência e da criminalidade. Afirmar suas potências inventivas, sua sociabilidade, suas formas inovadoras de garantir o direito à cidade e, não menos importante, suas plurais formas de beleza foi um movimento conceitual e político que contribuiu para que as periferias e suas organizações passassem a assumir um papel protagonista na pólis. A partir da ideia de potência favelada/periférica e de formulações como "pedagogia da convivência" e "mobilidade plena", foram gerados projetos com forte incidência nas políticas públicas brasileiras, tais como o Conexões de Saberes, estratégico para a luta pelas ações afirmativas nas universidades federais, e o Programa de Redução da Violência Letal contra Adolescentes e Crianças, dentre muitos outros.

Assim, quinze anos depois do seu lançamento, este livro preserva seu frescor, pois se mantém inspirando a apreensão das estratégias construídas pelos jovens das periferias na construção de suas utopias educacionais. Além disso, continua contribuindo para provocar uma reflexão de caráter existencial mais profunda, que diz respeito a todos nós, seres caminhantes na vida: por que somos o que somos? Por que pensamos como pensamos? Por que agimos como agimos? Caso carregue em si essas questões, este livro terá sentido para você.

Jailson de Souza e Silva
7 de julho de 2018

Prefácio

Por que uns e não outros? é um lugar de invenção que contribui na radicalização da democracia. Esta afirmação, que pode ser interpretada apenas como uma frase de impacto para uma estratégia narrativa, na verdade organiza meu espanto diante desta poderosa obra. Esse espanto é daqueles que marcam nossa relação com um livro, um conceito, e que mudam nosso modo de pensar. Entretanto, ele não é de difícil acesso, como em algumas obras em que apenas aqueles que dominam códigos culturais específicos conseguem fruição. Jailson revela suas estratégias de pensamento numa estrutura de combinações teóricas, narrativas e afetivas feitas para nós, leitores, colocando como centro da questão trajetórias de vida de jovens de origem popular no ensino. Ele demonstra, por exemplo, que até mesmo a "permanência escolar decorre da dinâmica estabelecida entre as características singulares do agente e as redes sociais nas quais ele se insere". Aqui reside a contribuição singular deste livro. Ao elencar as estratégias de vida como uma das categorias de formulação, fica claro na narrativa que os procedimentos de análise do autor buscam desconstruir a ideia do território popular e seus atores apenas como cenário dado das mazelas sociais do país observado por um estudioso. Essas combinações, para além de um rigor acadêmico, acabam por potencializar seus personagens e ambientes não apenas como objetos de seus estudos para justificar uma hipótese. Assim, este livro se torna um interessante gesto político e estético que reedita o lugar do "pobre favelado" nos estudos acadêmicos. As vozes dos personagens presentes nos relatos de campo, revelando suas emoções e condições, não enfeitam apenas de dados o texto. Elas são a própria estrutura deste texto e das categorias que vão sendo inventadas ao longo do percurso narrativo. Alguns podem dizer que isso é quase natural, afinal, nosso autor vem de origem popular. Chamo atenção para o fato de que não estamos diante de uma prestação de contas com o lugar de origem ou de atuação. O que temos aqui não é apenas um relato sensível de uma situação social, organizado por categorias de análise, nem um manifesto militante de uma causa social. Neste pequeno e contundente livro, aparecem rastros de um novo modo de pensar aquilo que muitos chamam de "campo popular". Até mesmo quando o autor cria momentos em que revela uma intimidade afetiva com os personagens (seu cunhado, por exemplo), não fragiliza a pesquisa. De fato, até mesmo essa intimidade produz efeito estruturante nessa mistura de linguagem (acadêmica) e vida que aponta para essas contribuições ao pensamento. E é nessa esquina do pensamento que está o espanto com a obra. Mesmo após uma intensa agenda de políticas públicas na história do país, que apontam para o enfrentamento positivo das questões abordadas, o livro de Jailson continua necessário por apresentar esse modo de olhar que embaralha as visões. O que quero dizer com este declarado elogio é que não existe mais a possibilidade de não termos este livro como bibliografia básica nos estudos culturais e sociais no país. Até mesmo porque o desafio de agora é fazer a pergunta-título do livro em outros campos. Por exemplo, precisamos saber "por que uns e não outros?" são reconhecidos como agentes culturais contemporâneos e têm suas práticas legitimadas por políticas públicas. Fica a dica do Mestre Jailson.

Marcus Vinícius Faustini

Apresentação

Por que uns e não outros? é uma versão sintética da minha tese de doutorado em Educação defendida na PUC-Rio. Ela, de forma mais geral, é dirigida a leitores curiosos em compreender as razões que levam pessoas com características comuns – em particular as de origem popular – a construírem, muitas vezes, trajetórias sociais distintas. Visa a atingir, também, leitores que buscam uma percepção dos grupos sociais populares e de seus espaços de moradia distinta da expressa no *discurso da ausência.*

Nesse tipo de juízo, os espaços populares e seus moradores são avaliados a partir de parâmetros característicos de outros grupos sociais e classificados, assim, a partir do que *não teriam.* A representação perpetua um conjunto de preconceitos e estereótipos a respeito dos setores populares, que terminam por conduzir as políticas públicas a eles destinadas. O combate a esse tipo de formulação é uma das principais razões para a edição desta publicação. Mas, acima de tudo, ficarei muito feliz se este livro for lido pelos professores da rede pública de ensino que trabalham com os grupos sociais populares, em particular aqueles interessados em ampliar o tempo de permanência dos seus alunos no espaço escolar. Com eles busquei dialogar de forma mais direta e me solidarizo de forma especial.

O eixo da obra é a apresentação dos relatos – e a reflexão sobre eles – de jovens moradores da Maré, a maior favela do Rio de Janeiro, a respeito de suas caminhadas escolares até a universidade. Através da apresentação sintética das trajetórias, espero que o leitor tenha melhores condições de produzir analogias consequentes e abrangentes, a partir de suas experiências particulares.

Transferi para o Apêndice um texto que apresenta as referências teóricas e acadêmicas que sustentam as proposições desenvolvidas no corpo principal do livro. Sua inserção nesse espaço objetivou tornar a leitura mais acessível e leve, sem deixar de garantir o acesso do leitor interessado às referências conceituais que nortearam a minha interpretação do fenômeno tratado. No citado texto, problematizo os pressupostos que sustentaram as análises da desigualdade de desempenho escolar afirmados pelas correntes liberais – que, em geral, responsabilizaram os alunos e/ou suas redes familiares – e os afirmados por integrantes de correntes pedagógicas que, a outra face da mesma moeda, reduziram à instituição escolar a responsabilidade pelo fenômeno.

O pano de fundo das ideias expostas é a noção de cidadania plena, que tornou-se, nos últimos anos, o ponto de partida e de chegada da sociedade brasileira. O grau de plenitude do exercício da cidadania relaciona-se com as formas de inserção do indivíduo no tempo e no espaço sociais. Ele será ampliado de acordo com a capacidade daquele de incorporar ao seu cotidiano fatos manifestos em distintos campos geográficos e sociais, assim como de se interessar pelo passado coletivo e de constituir um projeto, tanto global como pessoal, de futuro.

Uma das contribuições possíveis para o fortalecimento do exercício da cidadania plena é a constituição das instituições escolares, dentre outras, como redes sociopedagógicas. Elas funcionariam como espaços de mediação entre diversos campos sociais, ampliando o campo de possibilidades dos seus alunos. A materialização de uma postura como a sugerida exige que os profissionais da escola busquem apreender cada estudante como ser singular. Reconhecer que ele pensa, interpreta e age de acordo com as disposições desenvolvidas em sua socialização e, em função disso, das estratégias que constrói e/ou nas quais acredita. Identificá-las e interpretá-las, portanto, é fundamental para a construção de ações pedagógicas adequadas para esse público, no espaço escolar.

Por que uns e não outros? é uma contribuição a mais para esse diagnóstico, iniciativa cúmplice de tantas outras que apontam para novas utopias, e solidária com as escolas e os educadores que contribuem para que elas se façam reais.

Jailson de Souza e Silva

Introdução

"Por que uns e não outros?" A interrogação revela o espanto do jornalista Zuenir Ventura (1994: 180) ao conhecer personagens com trajetórias bem distintas, moradores da comunidade de Vigário Geral: de um lado, Flávio Negão – chefe do tráfico de drogas local à época; de outro, o irmão de Flávio, que se denominava – em tom despido de conotação pejorativa – *otário*, isto é, trabalhador. A diversidade presente nas trajetórias de pessoas dos grupos sociais populares também me intrigava. Minha inquietação primeira era sobre quais fatores contribuíam para que indivíduos com origem e características sociais parecidas, mesmo irmãos, tivessem escolhas e caminhadas diversificadas, até opostas, nos campos escolar, social, cultural, político e/ou econômico.

No início da década de 1980, eu expressava essa questão através de indagações sobre os fatores que, porventura, influenciavam o desenvolvimento de uma consciência crítica em relação ao sistema social estabelecido. O termo "crítica" possui diferentes acepções no campo do pensamento. No período em questão, eu usava a expressão em uma perspectiva ético-política: o desejo era contribuir para a negação e a superação dos valores e estruturas materiais da sociedade capitalista brasileira.

O ingresso no doutorado e o acesso a trabalhos de pesquisadores ligados à Sociologia da Educação levaram-me a reencontrar e a redefinir os termos da questão, já numa perspectiva sociológica: *Como se explica a chegada de diversas pessoas dos setores populares à universidade enquanto tantas outras com características sociais, econômicas e culturais aparentemente análogas têm uma trajetória bem mais curta?*

A partir da interrogação e fruto do conhecimento de diversos trabalhos que vinham sendo produzidos, em particular na França, a respeito dos vínculos entre escolas e grupos sociais, emanaram duas outras questões: *Como os universitários de perfil popular se produziram/foram produzidos socialmente? Como foram construídas e desenvolvidas suas estratégias escolares?*

As interrogações contribuíram para a definição do recorte da pesquisa, no caso, o mapeamento e a interpretação das condições, características e experiências particulares que favoreceram a constituição de trajetórias escolares bem-sucedidas, realizadas por um determinado número de pessoas oriundas de grupos sociais populares. Na definição do tipo de caminhada, estabeleço uma contraposição à saída precoce do aluno do espaço escolar, valorizando a sua permanência. Assim, o *sucesso escolar* é definido a partir da conquista pelos estudantes provenientes dos setores populares do diploma de nível superior, seja em instituição pública ou particular.

Outro aspecto que se fez muito presente no meu processo de reflexão foi a percepção da alta carga de adjetivação que carateriza os termos tradicionalmente utilizados no estudo da desigualdade de desempenho escolar. Palavras como *evasão, exclusão, fracasso* – escolar, familiar ou do aluno – tornaram-se instrumentos de síntese da percepção do fenômeno e meios de identificação dos atores pretensamente responsáveis pela sua existência. Viraram jargões que confundem e tensionam as posições em jogo, mas pouco auxiliam na interpretação do problema.

Um dos principais pontos do trabalho, por isso, passou a ser a superação dessas formulações e, consequentemente, dos termos assinalados, por razões que serão apontadas no decorrer do estudo. O que busco, portanto, com a pesquisa é compreender quais as variáveis que se fazem presentes na permanência do aluno na escola, seja ela curta ou longa.

O núcleo da investigação consistiu na realização de um levantamento dos elementos centrais da trajetória escolar de alguns estudantes da Maré, o maior complexo de favelas do Rio de Janeiro. A escolha do local explica-se, primeiramente, em função de suas evidentes características proletárias, aliadas à profunda diferenciação no que diz respeito às formas de constituição de cada comunidade, os tipos de instituições existentes e as práticas e condições sociais de seus moradores.

A Maré localiza-se na zona da Leopoldina, na cidade do Rio de Janeiro, constituindo a 30ª Região Administrativa. Reúne 139.073 moradores e 47.558 domicílios,[1] distribuídos em dezesseis comunidades, ordenadas aqui geograficamente no sentido subúrbio–centro da cidade: Marcílio Dias, Praia de Ramos, Roquete Pinto, Parque União, Rubens Vaz, Nova Holanda, Parque Maré, Nova Maré, Baixa do Sapateiro, Morro do Timbau, Bento Ribeiro Dantas, Conjunto Pinheiros, Vila dos Pinheiros, Salsa e Merengue, Vila do João e Conjunto Esperança.

Nas comunidades estão instaladas 44 escolas públicas municipais, sendo seis CIEPs.[2] A área reúne dezenas de creches comunitárias, além de várias escolas privadas de pequeno porte, voltadas para a educação infantil e para os primeiros anos do ensino fundamental. Até 1997, havia em toda a região, incluindo os bairros próximos à Maré, um solitário colégio público de ensino médio, que funciona apenas no período noturno e é marcado pela precariedade. Em 1998, foi inaugurado um colégio voltado para o ensino

---

[1] Todos os dados apresentados sobre a Maré têm como fonte o Censo Maré 2017, realizado pela Redes da Maré e o Observatório de Favelas.

[2] CIEP – Centro Integrado de Educação Pública.

médio no período diurno. Desde então, não houve investimentos neste nível de ensino no território local.

No plano das instituições culturais formais, a Maré conta com poucos centros culturais permanentes para manifestações e produções culturais. Nesse caso, o único equipamento público existente na Maré é uma lona cultural municipal, administrada em cogestão pela Redes da Maré. Os dois principais equipamentos locais, nesse sentido, são o Centro de Artes Visuais Bela Maré e o Centro de Artes da Maré, ambos vinculados a organizações com sedes no território. Mesmo entidades tradicionais nos espaços populares são raras, com a presença apenas a partir de 1998 de uma escola de samba. Outras manifestações localizadas, tais como folia de reis, grupos musicais ou agrupamentos culturais diversos, são caracterizadas pela falta de continuidade e pela pequena difusão de suas atividades.

Um trabalho organizado pelo Instituto Pereira Passos (1997), a partir de dados do Censo de 1990, reúne informações sobre 28 grupos de favelas, de acordo com as Regiões Administrativas. No universo estudado, a Maré ficou na 11ª posição relativa ao Índice de Qualidade de Vida Urbana, com um resultado muito próximo ao da média das favelas cariocas. O que se evidencia no quadro, todavia, é a precariedade justamente dos indicadores culturais e econômicos: o percentual de moradores com diploma de graduação reunia pouco mais de 0,5% do total, enquanto o número de analfabetos chegava a quase 20%. Assim, uma família da Maré tinha quase quarenta vezes mais chance de ter em seu domicílio um analfabeto do que uma pessoa com nível superior. No que concerne aos rendimentos, menos de 1/3 dos trabalhadores locais afirmavam receber mais de dois salários mínimos por mês. O Censo Maré 2017 revela que o percentual de moradores locais no ensino superior é de 2,4% e a taxa de analfabetismo caiu para 6%. Logo, os indicadores melhoraram, mas precisam ir muito além.

A contradição entre alguns razoáveis indicadores urbanos – coleta de lixo e saneamento, por exemplo – e os precários índices socioeducacionais e econômicos decorre do tipo de intervenção realizada na Maré nas últimas décadas. Os diversos projetos do poder público tinham como pressuposto uma visão restrita do urbano, privilegiando a intervenção física. Centradas em obras de engenharia, as ações, em geral, ignoraram a necessidade de produção de uma política social integrada. Iniciativas voltadas para a geração de renda, para o estímulo à participação da população local na resolução de suas demandas e o investimento em iniciativas culturais e educacionais pouco se fizeram presentes na urbanização.

As características comuns às dezesseis comunidades não significam, entretanto, a sua homogeneização, como revela o quadro abaixo.

Quadro 1: Posição de comunidades da Maré em relação às favelas cariocas, considerando-se o Índice de Qualidade de Vida Urbana

Localidade	Posição	IQVU
Morro do Timbau	56ª	0,556
Parque União	61ª	0,553
Baixa do Sapateiro	105ª	0,524
Praia de Ramos	108ª	0,523
Parque Rubens Vaz	126ª	0,515
Nova Holanda	134ª	0,510
Parque Maré	177ª	0,487
Parque Roquete Pinto	198ª	0,473
Centro Social Marcílio Dias	402ª	0,259

Fonte: Instituto Pereira Passos, 1997.

A classificação, que abrange um universo de 412 favelas cariocas, demonstra as profundas diferenças existentes entre as comunidades da Maré. O Timbau e o Parque União, por exemplo, são considerados por muitos moradores como espaços privilegiados no território local.

A classificação não inclui os dados de algumas das comunidades criadas pelo poder público – Conjunto Pinheiros, Conjunto Esperança, Vila dos Pinheiros, Vila do João, Conjunto Nova Maré, Conjunto Bento Ribeiro Dantas e Salsa e Merengue –, identificadas como conjuntos habitacionais. Seus indicadores sociais, educacionais e econômicos, contudo, não se diferenciam da média local.

O núcleo original da Maré era formado por seis comunidades, fronteiriças, mas com características sociais, econômicas, geográficas e históricas heterogêneas: Morro do Timbau, Parque União, Baixa do Sapateiro, Rubens Vaz, Nova Holanda e Parque Maré. Dentre elas, Nova Holanda – assim como Praia de Ramos, vizinha ao núcleo original – foi criada pelo poder público estadual, na década de 1960.

Vila dos Pinheiros, Vila do João, Conjunto Pinheiros e Conjunto Esperança foram criadas pelo governo federal no início da década de 1980, sendo ocupadas por antigos moradores das comunidades originais, principalmente os residentes nas palafitas – habitações precárias suspensas sobre a lama e a água.

Bento Ribeiro Dantas, Nova Maré e Salsa e Merengue foram criadas pelo poder público municipal, na década de 1990. Reúnem moradores provenientes de habitações localizadas em áreas de risco. Assim, nove dentre as dezesseis comunidades da Maré foram criadas pelo poder público municipal, estadual ou federal.

As comunidades de Marcílio Dias e Roquete Pinto, assim como Praia de Ramos, criadas no mesmo período que aquelas situadas no núcleo original, só passaram a ser consideradas integrantes da Maré a partir da transformação formal do espaço em bairro e da criação da 30ª Região Administrativa – que tem como circunscrição as dezesseis comunidades e seu entorno.

Localizada entre a Av. Brasil e a Linha Vermelha, cortada pela Linha Amarela, a Maré ocupa uma presença significativa no imaginário carioca. Ela pode ser vista, por um lado, como um vigoroso exemplo da criatividade dos setores populares, na busca de enfrentarem os limites estruturais dos centros urbanos brasileiros, fato materializado pelas habitações em palafitas. Vizinhos à Maré, no entanto, situam-se o moderno Aeroporto Internacional do Galeão e a maior instituição de ensino superior do país, a Universidade Federal do Rio de Janeiro (UFRJ).

O contraste contribuiu para a percepção do complexo, assumida pelos meios de comunicação e variados segmentos sociais cariocas, como um espaço globalmente miserável, violento e destituído de condições mínimas de vida. Apesar do exagero e da forte carga de preconceito nessa representação, é inegável a identificação da Maré como um espaço proletarizado, no qual há o predomínio de populações em condições socioprofissionais subordinadas, com reduzida escolaridade média e baixa renda familiar.

A maioria dos moradores locais é oriunda do Nordeste. O fato pode ser explicado pela constituição recente, em termos históricos, das comunidades. Ocupada a partir das décadas de 1940 e, em especial, 1960, a região se desenvolveu em pleno processo de expansão da economia carioca e, consequentemente, de periferização e modernização da estrutura urbana. Localizada ao lado da principal via urbana da cidade – a Av. Brasil –, a Maré foi uma área privilegiada no que diz respeito à recepção de novas populações. As redes cotidianas de apoio e solidariedade dos nordestinos foram importantes para a expansão populacional. Elas se materializavam na hospedagem de conterrâneos, na indicação para determinados empregos, no auxílio à construção de moradias e na promoção de atividades culturais coletivas. Essa população será a predominante no espaço local e no universo da pesquisa.

A maior contribuição que a observação espacial da Maré oferece, na verdade, é a possibilidade de tê-la como referência no combate às representações homogeneizadoras que caracterizam os olhares lançados sobre os espaços sociais favelados. Com efeito, o reconhecimento da diferença na aparente homogeneidade do território local me parece um caminho crucial para a análise dos agentes e dos espaços populares da cidade – em geral, classificados e estereotipados sob uma lógica sociocêntrica, identificada com referências e valores característicos dos setores sociais médios.

A associação, por exemplo, entre espaços favelados e violência faz com que – de um modo que beira a morbidez, apenas mais sofisticada – a pluralidade do cotidiano dos moradores das comunidades populares seja, em geral, ignorada pelos moradores dos bairros da cidade. Na verdade, as favelas cariocas, com suas construções em aparente contradição com as condições dos terrenos, são formas originais de busca de acesso a serviços básicos e produzem normas cotidianas que permitem a convivência de milhares de pessoas em territórios muito restritos.

Elas são, antes de tudo, uma fascinante demonstração da capacidade e da tenacidade dos setores populares, competências que, reconhecidas, permitem a ruptura com o tradicional *discurso da ausência* que norteia os conceitos e representações afirmados em relação à favela – discurso que sustenta tanto o olhar conservador/criminalizante em relação aos espaços populares como a postura paternalista assumida por setores progressistas. Embora tenham uma perspectiva solidária com os grupos sociais populares, esses setores terminam por apresentá-los como vítimas passivas de um sistema social monolítico, que não teriam condições de compreender e enfrentar.

Na busca de ir além desse juízo, a tentativa de interpretar as caminhadas de estudantes da Maré teve como referência fundamental o registro, a sistematização e a análise das considerações formuladas pelo entrevistado sobre sua trajetória social e escolar. Isso porque considero que as práticas efetivadas no espaço escolar são decorrentes, em grande parte, do sistema de disposições (o *habitus*, na perspectiva de Pierre Bourdieu) desenvolvido por esses estudantes em seu processo de socialização e posicionamento social. As estratégias que desenvolvem em suas vidas cotidianas, seja as escolares, as profissionais ou mesmo as matrimoniais, são derivadas do embate entre as disposições por eles adquiridas e suas condições de existência. A compreensão de suas estratégias e atitudes permite a interpretação peculiar do jogo social que os jovens e seus familiares integram e ajudam a manter/transformar.

A instituição escolar, por seu turno, insere-se no trabalho como configuração de uma rede complexa e permanentemente construída. Ela se revela no texto por meio dos trabalhos de variados autores, dos entrevistados e de minha própria experiência escolar. Assim, é possível considerá-la, com certa dose de imaginação, como a personagem de um filme que, mesmo sem estar em cena no momento em que se desenvolve a narrativa, é permanentemente lembrada pelas outras personagens. O fato de não apresentá-la com *textos* e *ações diretas* não lhe retira a condição de protagonista. Afinal, nesses *filmes* há múltiplos protagonistas e textos.

O processo de seleção dos entrevistados foi uma das questões mais desafiadoras da pesquisa. O fato de haver morado vários anos na Maré permitiu, por um lado, que a seleção e os subsequentes contatos com integrantes do público-alvo da pesquisa fossem facilitados. Por outro lado, já defendendo-me da eventual crítica de que a minha inserção histórica no universo estudado pudesse gerar um viés no levantamento de dados e na interpretação correspondentes, busquei a companhia de R. Chartier (1996). Ele considera que a principal vantagem de se trabalhar com o tempo presente é a proximidade de referências e informações, além da identidade com o contexto de formação, elementos que seria impossível assimilar em relação às trajetórias do passado.

O mesmo juízo pode ser aplicado em relação ao espaço social: reconhecendo a importância da *desnaturalização* do espaço próximo, não é possível confundi-la com distância no plano físico, social ou mesmo afetivo. Na verdade, a ambiguidade da relação próximo-distante impede que os possíveis malefícios ou benefícios da proximidade com o objeto de investigação sejam resolvidos *a priori*. Eles se subordinam às condições e aos instrumentos que serão utilizados no trabalho de levantamento de dados e de análise.[3]

Logo, não considerei um princípio metodológico entrevistar apenas estudantes desconhecidos. As indicações fornecidas por variados moradores – em particular, alguns dos entrevistados –, reunidas com as que eu já tinha, permitiram o acesso a um número significativo de graduados. Assim, eu tinha com os entrevistados níveis variados de contatos: um era muito próximo, outros eram próximos, alguns, desconhecidos, outros eu conhecia de "ouvir falar" ou socialmente. De qualquer forma, a identidade existente

---

[3] Cf. G. Velho, 1978, 1986, 1994; Bourdieu, 1990.

entre as trajetórias deles e a minha, o orgulho da caminhada feita e o prazer em falar da experiência escolar permitiram que estabelecêssemos uma relação aberta e franca.

A estratégia metodológica que sustentou o levantamento dos dados para essa investigação foi a dos "relatos de
vida", coletados junto a onze jovens de comunidades locais.
A definição do número total de relatos não foi estabelecida
previamente. O fato determinante do limite foi a convicção,
chegado um determinado momento, de que eu já atingira
minha capacidade máxima de apreensão das nuances das
falas recolhidas e que as informações necessárias para a
análise que me propunha a fazer estavam dadas. Isso porque as inesgotáveis possibilidades de combinações de estra-
tégias/ações decretam a falta de sentido em buscar exaurir
as possibilidades de apreensão.[4]

Além das entrevistas, utilizei também um questionário,
distribuído entre alunos que tinham se formado pouco antes
do início do trabalho de campo ou estavam perto da formatura. As respostas ao questionário não foram incorporadas
ao presente livro, mas tiveram um importante papel na con-
firmação de várias proposições desenvolvidas no trabalho.

O reconhecimento da dinâmica complexa dos processos sócio-históricos, além da intenção de estabelecer parâmetros mais precisos para a análise das caminhadas, le-
vou-me a optar por entrevistar estudantes de apenas uma
geração, que tiveram acesso ao sistema educacional mais ou
menos no mesmo período, principalmente no âmbito do
ensino médio e da universidade. Assim, a idade dos onze
agentes que fizeram os "relatos de vida" variou entre 30 e
42 anos.

---

[4] Sobre as possibilidades do trabalho com relatos de vida e história oral,
cf. Nora, 1989; Ferreira, 1994; Bourdieu, 1996; Levi, 1996.

Relatos e diário de campo

Ana, Carmem, Cláudio, Eneraldo, Hélcio, Lia, Lúcio, Lurdes, Márcia, Marcos e Pedro Paulo.[5] Onze trajetórias repletas de coincidências nas marcas, nas lembranças, na vivência cotidiana. E também de distâncias nas alegrias e dores, escolhas e inserções, ligações e afastamentos. Caminhantes com os quais descobri muitas lembranças comuns, mais do que pensava encontrar, antes dos contatos que estabelecemos.

Dentre as falas, os relatos de Ana e Lia são apresentados de forma mais detalhada. A intenção foi caracterizar duas famílias com trajetórias opostas, nas devidas medidas. Através delas, busco facilitar a visualização de algumas oposições e identidades entre as condições de vida, a escolarização e a inserção socioprofissional dos jovens entrevistados. Na família de Ana, de quatro filhos, três chegaram à universidade – justamente as três moças. Na casa de Lia, dos seis filhos – três rapazes e três moças –, apenas ela cursou o nível superior. Cabe assinalar que o padrão econômico da família de Lia era superior, levando-se em conta a realidade da Maré, ao da família de Ana.

As nove entrevistas restantes foram apresentadas a partir das reflexões derivadas de meu "diário de campo". O ideal, talvez, seria que elas pudessem ser apresentadas na íntegra, mas tenho esperança de que será possível ao leitor construir uma apreensão razoavelmente abrangente das trajetórias de Carmem, Eneraldo, Márcia, Cláudio, Hélcio, Lúcio, Pedro Paulo, Lurdes e Marcos a partir das informações oferecidas.

---

[5] Todos os nomes apresentados são fictícios.

Quadro 2: Perfil dos entrevistados

Nome	Comunidade	Idade	Pele/ Raça	Origem geográfica familiar
Ana	Nova Holanda	35	preta	Zona rural / MG
Carmem	Baixa do Sapateiro	32	preta	Zona rural / ES
Cláudio	Morro do Timbau	34	branca	Pernambuco
Eneraldo	Vila do João	34	branca	Paraíba
Hélcio	Nova Holanda	39	branca	Paraíba
Lia	Parque Maré	37	branca	Paraíba
Lúcio	Parque Maré	34	branca	Rio Grande do Norte
Lurdes	Parque Maré	31	branca	Paraíba
Márcia	Morro do Timbau	34	branca	Pernambuco
Marcos	Nova Holanda	34	branca	Cidade do Rio de Janeiro
Pedro Paulo	Parque Maré	42	preta	Campos / RJ

Graduação	Universidade	Profissão atual	Irmãos universitários	Irmãos
erviço Social	UFF	Assistente social	3	2
História	UERJ	Professora	2	2
Direito	UFRJ	Fiscal de postura do município	2	2
Matemática	UFRJ	Professor aposentado	3	0
Engenharia Civil	Nuno Lisboa	Engenheiro civil do município	5	5
Letras	UFRJ	Funcionária da UFRJ	5	0
Física	UFRJ	Mestrando da Coppe/UFRJ	3	0
Letras	UFRJ	Funcionária da UFRJ	5	3
Letras	FAHUPE	Assistente administrativa da Prefeitura	2	0
História	UFRJ	Professor	5	0
Física	UFF	Assistente administrativo do MEC	3	0

RELATOS

Ana – Nova Holanda

Ana é preta, adepta da moda afro, tem 35 anos e se caracteriza por seu sorriso, bonito e afetuoso. Conheci-a como vizinha, já que moramos alguns anos na mesma rua. No momento da entrevista, ela morava no mesmo imóvel que sua mãe, mas com uma estrutura independente. Sua casa era pequena, mas organizada nos parâmetros dos setores médios envolvidos em atividades intelectuais: livros, quadros identificados com a questão negra, computador e poucos móveis. Esse tipo de casa é característico de boa parte dos moradores que atingiram a universidade, na Maré. Sua arquitetura, normalmente, contrasta com as casas da maioria da população local, marcadas pelo excesso de divisões, pelos pequenos cômodos e pela ausência de livros ou bens de consumo mais sofisticados.

Ana foi minha primeira entrevistada. Das pessoas com quem tive contato, ela foi, seguramente, a que mais se interessou pelas questões que formulei como objeto de estudo. O fato de estar em um movimento de saída da comunidade, depois de dezenas de anos, auxiliava na reflexão. Aparentemente, a particularidade auxiliou no desenvolvimento do relato e na sua reflexão.

Os pais

A minha mãe, até os 9 anos de idade, trabalhou na terra, no interior de Minas Gerais. Nessa idade, veio para o Rio de Janeiro trabalhar em casa de família. Sobre meu pai, ele é do Espírito Santo, mas os seus pais vieram para o Rio de Janeiro há muitos anos. Depois de muito tempo de casado, conseguiu entrar no emprego público: trabalhou como gari[6] e se aposentou como auxiliar de serviços gerais.

Minha mãe teve quatro filhos – um homem e três mulheres: meu irmão mais velho, que morreu; eu, a Rosa e a Márcia. Meu pai sempre ganhou pouco mais do que o salário mínimo. Minha mãe sempre reclamou, porque os dois irmãos dele eram funcionários públicos e, fazendo curso, levando algum tipo de declaração, conseguiram aumentar o nível salarial. Ele começou como gari na Prefeitura, depois passou para o Detran.[7] Ela sempre falou que se ele quisesse, teria conseguido aumentar o salário, mas ele não esquentava a cabeça com isso.

Até com a gente ele achava assim: se tivesse arroz e feijão, não estava passando fome, tudo bem. Minha mãe não, o dinheiro dela era para comprar roupa, sapato, era para botar na escola. Quando a gente era adolescente e falava que ia namorar, ela botava o maior medo, dizia que ia nos seguir, que o nosso namorado tinha que ser o livro, que a gente tinha que estudar. Ela tinha essa coisa fechada na cabeça, que a gente tinha que estudar, que tinha que investir. Hoje, meu pai tem até um orgulho muito grande da gente: "Minha filha é assistente social; minha filha é professora de espanhol." Fala para todo mundo, mas na época não dava muito valor ao estudo.

Tinha época em que a gente discutia em casa, eu a Márcia, quais foram as influências que nós tivemos nessa coisa de constituir a perspectiva de ir para a universidade, ser determinada naquilo que fazia. A gente avaliava que eram as amizades e a presença de minha mãe, desde o início. Mas

---

[6] Coletor de lixo e varredor de rua da Comlurb – Companhia Municipal de Limpeza Urbana da Cidade do Rio de Janeiro.

[7] Detran – Departamento de Trânsito do Estado do Rio de Janeiro.

o 2º grau não era exigência da minha mãe, a exigência dela era o 1º grau e a profissão; o 2º grau foi uma determinação nossa, a gente queria continuar estudando. Não queria ser só costureira, como minha mãe pretendia que a gente fosse. Ela achava que a gente ia fazer faculdade e não ia ter emprego, e que o mais importante era ter uma profissão.

Na escola

Nos primeiros anos de escola eu era muito tímida, cheguei a repetir as primeiras séries, aquela aluna que ficava no canto da sala, quietinha, de cabeça baixa. Na Clotilde Guimarães[8] era assim, no início. Aí, eu tive uma professora, Sueli Nogueira, não esqueço o nome dela. Na 3ª série. Essa professora marcou a minha vida porque ela começou a me incentivar em muitas coisas, me chamar pra frente, pedir as coisas, solicitar, me inserir na turma.

Certa vez ela me chamou, fez umas dinâmicas dentro da sala e gostou muito da minha forma de leitura. Então me preparou para ler um discurso para a escola inteira no dia de uma data festiva. Ela me treinou várias vezes. Eu vinha pra casa e ficava na frente do espelho, aprendendo a fazer leitura oral. A partir desse evento, comecei a me ligar mais no estudo, a me inserir dentro da sala de aula e nos trabalhos.

A Clotilde era muito misturada, tinha mais filhos de classe média do que da favela. Tinha mais gente da parte de lá de Bonsucesso e do Parque União, que sempre foram lugares mais organizados. Enquanto aqui os barracos eram de madeira, lá já eram de alvenaria. A escola, naquela época, era longe da minha casa.[9] Eu me sentia sem identidade

---

[8] Escola Municipal Clotilde Guimarães.
[9] No plano da distância física, entre a casa da Ana e a Clotilde Guimarães se caminha cerca de 500 metros.

no local. Com o tempo, fui me integrando, fazendo amigos, pessoas que moravam longe, em outra realidade.

O meu irmão não estudava, então a gente estudava junto com os coleguinhas, fazia trabalho de grupo. Minha mãe me deixava estudar na casa das colegas, mas eu tinha que dizer quem era, para que era, e sempre de dia. Ela sempre procurava saber com quem a gente estava andando. Uma menina mais *assanhada* ela mandava cortar; as meninas mais quietinhas ela deixava.

O trabalho de grupo incentivou-me muito, principalmente em verbos. Sempre tive problemas com verbos. Minha mãe me botava na *explicadora*, praticamente todo mundo aqui em Nova Holanda passou pela *explicadora*. Principalmente de português e matemática. Ela estava sempre em cima, até sentir a gente começar a gostar de estudar. Quando tinha passeio, dava força pra gente ir, arrumava merenda. Ela gostava que a gente ficasse na escola, sempre teve essa determinação.

Ela participava das reuniões na escola, das festas. Quando era a festa do dia dos professores ela sempre que podia mandava algo, nada muito caro, uma coisa que pudesse contribuir. Investia no nosso uniforme e na caixa escolar, que a gente usufruía.

Inserção na família

Desde cedo eu era a menina boazinha, a melhor filha, a filha que ajudava a lavar roupa, a responsável por cuidar da casa e de minhas irmãs; mas sempre tive um horário para fazer o dever de casa, mesmo que isso atrapalhasse qualquer coisa. Ajudava a Márcia nesses deveres, mas minha mãe nunca deixou faltar a *explicadora*.

Contradições familiares

A responsabilidade de minha mãe parecia que era maior com as filhas. Com meu irmão ela tentou, mas ele não queria ir para a escola, queria trabalhar. Quando viemos pra Nova Holanda, ele não quis estudar mais, só trabalhar. Minha mãe disse assim: "Então você vai estudar à noite e trabalhar durante o dia." Ela o matriculou na Clotilde, que tinha ensino fundamental à noite. Mas ele não quis continuar, dizia que estava cansado, não tinha cabeça pra aquilo. Ele se entusiasmou com o trabalho, não sei por que essa coisa, aquela pessoa que não quer, parece que quanto mais você forçar...

Ele tinha que dar dinheiro em casa; minha mãe sempre ensinou que todos que trabalhavam tinham que ajudar em casa. No caso dele, que não quis mais estudar, tinha que trabalhar. Mais tarde, ele dizia para os filhos dele, para mim, que tinha se arrependido de não ter estudado; poderia, assim, até montar uma firma, ou poderia assumir cargo de responsabilidade em qualquer outra.

Família/vizinhança

Minha mãe nunca deixou a gente frequentar a casa dos outros. A gente ia com ela visitar alguma amiga dela, à igreja ou passear: levava à praia, à Igreja da Penha, a algum parque. Depois, fui criando identidade com a escola, com os amigos, fazendo amizades. Na escola eu tinha amizade com pessoas de classe média, principalmente pessoas brancas.

Quando estava para fazer 15 anos, meus pais se separaram. Na época, começamos a trabalhar na peixaria, aqui em Nova Holanda.

Nós fomos limpar camarão. O trabalho era feito só na parte da manhã, porque na parte da tarde nós íamos para a escola. A gente trabalhou durante muito tempo, mas era uma coisa estranha: eram muitas mulheres, pessoas que não tinham nenhuma forma de inserção no mercado. Inclusive, lá trabalhou até o Jorge Negão.[10] A gente via muitas pessoas com disposição para falar palavrão, para brigar até pela quantidade de camarão. Mas a gente foi sobrevivendo ali, até por causa da postura do sr. Pascoal, o gerente. Ele sabia quem era quem e até protegia as pessoas que não roubavam nada e trabalhavam direito.

A fábrica

Na adolescência, terminei o 1º grau e fui logo fazer o 2º grau, e as minhas irmãs também. Tinha 16, 17 anos e tive que começar a trabalhar. Comecei em uma fábrica, como aprendiz de costureira, e fui estudar à noite. Na parte da manhã, aprendia a mexer com a máquina industrial e na parte da tarde trabalhava. Na época, para a pessoa se tornar costureira, tinha que ter dois anos de experiência. Eu já estava ficando angustiada, porque trabalhava igual às outras costureiras, mas ganhava menos. Também estranhei muito o ambiente da fábrica, estava acostumada com o espaço da família. Tanto é que era gordinha, mas emagreci muito – não gostava da comida de marmita. Tudo aquilo foi mexendo com a minha cabeça, acabei saindo e fui trabalhar em outras coisas. Depois, fui trabalhar na Dimpus.[11] Era uma seção pequena, só de bolsas, as pessoas eram mais próximas. Ali consegui passar a ser costureira e foi uma alegria. Passei a costureira!

---

[10] Chefe do tráfico local durante a maior parte da década de 1980 e início dos anos 1990.

[11] Dimpus – loja de moda feminina bastante conhecida no Rio de janeiro na década de 1980, até hoje existente.

Na 8ª série, saí da Clotilde Guimarães e fui para a Escola Bahia,[12] à noite, onde fiz o 2º grau. Quando terminei, estava trabalhando em fábrica e não estava bem, queria uma coisa melhor, ganhar mais. Sempre tive essa coisa de comprar uma roupa bonita, uma roupa cara, mas ficava olhando as vitrines, mesmo em Bonsucesso,[13] e ficava danada da vida: "Meu Deus do céu, o preço daquela blusa é boa parte do meu salário." Na fábrica, ficava me questionando como o meu salário não dava para comprar a bolsa que eu fazia.

Estratégias escolares e profissionais

Trabalhando na Dimpus, a gente começou a fazer obra aqui em casa e comecei a fazer pré-vestibular. Antes de terminar o 2º grau, fiz curso de auxiliar de escritório no Senac,[14] datilografia manual, elétrica. Cheguei a entrar num curso de computação no Méier. Eu pagava para ter um emprego melhor, batia de porta em porta para procurar e não achava, tudo tinha que ter experiência, boa aparência. Na época do vestibular, eu achava que precisava ter um emprego legal para poder pensar numa faculdade. Como não consegui, decidi tentar assim mesmo.

Comecei a fazer pré-vestibular no Miguel Couto, no meio do ano. Quando chegou o final do ano, fui tentar o vestibular. Era aquele integrado e passei para a Gama Filho. Fiquei superfeliz por ter passado, mas não tinha condições de pagar. Decidi estudar mais um pouco e tentar passar para uma Federal. No ano seguinte, entrei para o Curso Acadêmicos e passei para o segundo semestre de 1987, na UFF.[15]

---

12 Escola Municipal Bahia.
13 Bairro vizinho à Maré, utilizado como centro comercial e como referência de moradia.
14 Senac – Serviço Nacional de Aprendizagem Comercial.
15 UFF – Universidade Federal Fluminense.

Casa/trabalho/universidade

Sentei com meu chefe, disse que tinha passado no vestibular, que era importante para mim, e pedi que me mandasse embora. Ganhei um dinheirinho legal, que investi na casa de baixo, e comprei algumas coisas para mim. A Márcia, que passou no mesmo ano, continuou trabalhando e eu fiquei quase um ano sem trabalhar, procurando o que fazer.

Consegui dar aula na Associação de Moradores do Parque Maré; era educação para adultos, método Paulo Freire. A gente recebia pelo Lions Clube. Era uma grana tão pouquinha... Corria atrás de bolsa na faculdade, mas não conseguia. Estava desesperada. Passei a fazer o curso só pela manhã, porque consegui um emprego numa loja de roupas femininas. Por isso atrasei o curso; em vez de quatro anos, fiz em cinco.

Continuei buscando conseguir uma bolsa de trabalho. Você tinha que ir com a camisa rasgada, furada, com todos os contracheques, mostrando que precisava de dinheiro. Fiquei numa fila enorme e não consegui. Teve uma época em que passei até a fazer bicos, trabalhava em fábrica de fundo de quintal e fazia serviço o dia inteiro.

Depois, consegui a bolsa de trabalho, pedi que me mandassem embora e me dediquei mais à faculdade, mas ainda com dificuldades, pois a bolsa era um salário mínimo. Fui fazer estágio remunerado, no Sesc,[16] e tinha a bolsa de trabalho no hospital universitário. Então passei em uma seleção para estágio na Fundação Leão XIII.[17] Escolhi trabalhar

---

[16] Sesc – Serviço Social do Comércio.
[17] Fundação Leão XIII – instituição de assistência social vinculada ao governo do estado do Rio de Janeiro que atuava nas favelas cariocas, especialmente.

no Morro do Cantagalo, mas o pessoal de lá não queria estagiário; terminei por trabalhar em Nova Holanda.

Fiquei no Sesc e na Fundação Leão XIII. Eu não estava aguentando, até que fiz o teste para a monitoria e passei. Assim, fiquei no Hospital Antonio Pedro fazendo o estágio curricular – sem grana; fiquei com a renda da Fundação Leão XIII e da monitoria. Depois, consegui outra bolsa de trabalho no Hospital dos Servidores do Estado. Fiquei com a Fundação Leão XIII, o Hospital dos Servidores, a monitoria e mais as disciplinas.

Educação/discriminação/trabalho

Minha vida era uma loucura: saía de casa de manhã e chegava de noite, morta de cansada. Se tivesse que estudar, preparar algum trabalho, era de madrugada. A minha angústia era entrar no mercado de trabalho e *neguinho* perguntar: "Qual a sua experiência?" O estágio ia servir para alguma coisa. Eu queria experiência e dinheiro também, porque passava o maior sufoco, de ir só com o dinheiro da passagem, não ter comida no bandejão e não ter o que comer.

Teve um professor que me fez chorar na sala de aula: não tirei xerox do texto dele e tinha que entregar o trabalho; pedi um prazo e fiz um bom trabalho. Mas ele baixou minha nota porque tinha entregado atrasada. Chorei muito na sala, as *dondoquinhas* adoraram. Isso porque tinha uma *guerrinha* na sala de aula: era uma turma que misturou o pessoal que fez Gama Filho, Veiga de Almeida e o pessoal que era *filhinho de papai*. Certa vez, teve uma discussão e uma garota começou a chorar. Aí, uma virou e falou: "Não liga, não, a gente não tem culpa porque elas são pobres."

Ofício e vocação

No 2º grau fiz o curso técnico de contabilidade. Pensei o tempo todo em trabalhar nessa área. Pensava mais no dinheiro, em dar continuidade a uma coisa que já tinha começado: tinha feito curso de auxiliar de escritório, datilografia; ficava mais fácil. Depois, comecei a pensar que não tinha que procurar o que era mais fácil, mas o que tinha mais a ver comigo. O grupo da igreja teve grande influência na escolha do Serviço Social. Minha mãe sempre foi católica e orientou a gente para essa religião também. A gente foi crescendo, e a Márcia começou a frequentar vários grupos da igreja e da comunidade. Conhecemos os seus amigos, que ficaram também próximos a nós.

Questão social/cultural

Na década de 1980, já se discutia a questão da Teologia da Libertação, as pessoas estavam se abrindo mais, e a gente também já estava tendo uma influência do PT,[18] eu e a Rosa participamos no início de sua formação aqui na Maré. A abertura que o pré-vestibular trouxe para a minha vida foi muito grande: na leitura, na política, aquela história política que a gente tinha no pré-vestibular e não ouvia na escola.

A gente começou a se agrupar mais com o pessoal de Nova Holanda, começou a ouvir músicas da época: Belchior, Elis Regina, ouvia muito isso. O aparelho de som que a gente tinha aqui em casa era do meu irmão e sempre teve as músicas que ele ouvia: Tim Maia, Gilberto Gil, Jorge Ben e principalmente música americana, no estilo que toca hoje em dia de madrugada.

---

[18] PT – Partido dos Trabalhadores.

A ideia de fazer Serviço Social começou com essa discussão política que a gente passou a ter. O padre perguntou se eu queria atuar na catequese, falei que não, que minha preocupação era com as meninas que ficavam na rua servindo de *aviãozinho* para o tráfico, já na década de 1980. Falei que a gente deveria ter uma linha de trabalho na rua, com os meninos que não iam para a catequese; ele deu força e disse para eu fazer.

Eu não sabia o que fazer. Queria unir aqueles garotos, estava com medo da influência que iriam sofrer, alguns estavam fazendo amizade com gente que não tinha nada a ver. Criava as atividades, conversava com o padre, rezava, mas não via isso como solução. Depois disso, e de muito pensar, me defini pelo Serviço Social. Além dessa experiência, outras leituras também me ajudaram. Queria trabalhar com essa realidade ou com problemas dessa natureza. Peguei uma vez, antes de definir isso, uma revista do *Jornal do Brasil*; ela vinha dizendo, objetivamente, o que cada função fazia. Pensei na Sociologia, mas ela não me apontava um campo de intervenção imediata, me apontava uma leitura daquela realidade, mas eu não considerava isso uma forma de intervenção.

O Pedro Paulo [que fazia Física na UFF] foi muito importante para mim nesse período. Principalmente para eu perceber que o ingresso na universidade não era uma coisa tão difícil quanto eu pensava. O fato de conversar com ele me ajudou muito, ele falava da UFF, que gostava muito, que era um lugar legal...

Leituras e escritas

A gente nunca teve o hábito de ler revista ou livro e nunca tivemos um dicionário. Um livro passava para outra. Quando a minha mãe tinha que entregar roupa, ela pedia a uma de nós que fizesse um bilhetinho para a patroa. Ela escreve, mas escreve comendo letras, trocando letras. Ela assina o nome e é capaz de escrever uma carta, só que com muitos erros. Meu pai lia livro de bolso; minha mãe agora que está lendo, pois comecei a incentivar: comprei um livro, ela já leu quase todo.

Valores e transmissão cultural na rede familiar

Tenho dois sobrinhos. Rodolfo está fazendo o 2º grau na Escola Bahia e a Silvia estuda no CIEP. Ela já parou de estudar, só queria ir para a casa das coleguinhas e brigava para ir ao baile *funk*. Mas está melhorando, graças a Deus! A gente está pegando no pé dela: botei para fazer ginástica, *jazz*, estimulei a fazer uma coisa de que gosta e também está em uma escola de que gosta muito. Minha mãe a vigia também.

Eu e a Márcia sempre tivemos uma grande preocupação em orientá-los, levá-los para outros lugares. Os pais nunca foram de sair e levar para lugares diferentes, fazer ler uma revista, um jornal, conhecer uma praia distante, fazer uma coisa que a gente considera legal: ir ao teatro, cinema, *shopping*. Mas a gente começa a perceber aqueles adolescentes consumistas, que querem roupas e tênis de marca, mas não querem trabalhar: "Se não vão trabalhar, de onde vão tirar dinheiro? Vocês podem fazer um curso melhor, ter uma profissão. Não estão vendo as tias? Estão correndo atrás, querendo melhorar." A gente tenta passar essas coisas, mas é muito lento... O Rodolfo sempre teve uma influência do nosso lado; já a Silvia é afastada de nós. Ela, como meu irmão, fez logo amizade na comunidade.

Inserções raciais, sociais e partidárias

A gente gosta, atualmente, de ouvir charme. O charme está abrindo muito, ganhando mais adeptos da classe média, principalmente brancos. Chega uma certa fase em que o negro vai se afastando da escola. No 2º grau se vê muito menos negros na sala de aula. O Rodolfo já percebe isso, principalmente no curso de informática: "Tia, quase não tem negro na minha turma, sou o único negro." Às vezes era complicado conviver com isso, mas a gente tinha clareza da nossa condição e da nossa luta. A minha mãe sempre nos colocou pra cima, para lutar; isso foi uma coisa que sempre orientou. Mesmo na falta de dinheiro, eu tinha a clareza de que não era culpa do meu pai, nem da minha mãe. Isso me levava a querer mais, o que dependia do meu esforço e do meu desempenho. Não era uma coisa particular, tinha a ver com a estrutura social, a divisão de renda, de trabalho.

Logo que entrei na faculdade comecei a frequentar baile afro e a participar do movimento negro. A consciência de ser negra começou no pré-vestibular. Minha mãe já falava algumas coisas nesse sentido. Ela não tinha uma discussão elaborada sobre o racismo, mas era do tipo que não levava desaforo para casa. O tempo, a leitura, os acontecimentos, a televisão foram contribuindo para isso. Eu nunca tinha sentido a discriminação – estudava em escola pública. Fui perceber na universidade, nessa última turma.

Caminhos recentes

Estou cansada. Terminei a faculdade, fiz logo a especialização e o mestrado. De um ano pra cá comecei a querer ter outro nível de amizade, curtir mais a turma do trabalho. Da pesquisa ficaram as amizades, do mestrado ficaram alguns amigos. O meu projeto é sair de Nova Holanda para poder investir nisso, romper com o isolamento em que estou entrando.

Sempre pensei que iríamos nos organizar financeiramente, profissionalmente, vender a casa e morar em outro lugar. Sempre pensei muito em família. Hoje em dia, começo a perceber que tem uma luta individual, e que pode ser que nem todos acompanhem. Sempre achei que todo mundo ia junto, que ninguém poderia deixar de fazer a contribuição. Agora, estou vendo que não é mais assim, tenho vontade de ir embora. Fui à Caixa Econômica para ver um financiamento, pois quero comprar um apartamento mínimo de dois quartos, mesmo que seja no Rio Comprido ou no Centro.

Minha mãe nunca aceitou com espontaneidade essa coisa de morar em favela. Ela achava que favela não era um lugar para criar filhos. Até hoje tem medo dos fogos, dos tiros, das invasões de casas com armas. Mas também tem medo de perder a única coisa que tem, a casa dela. Fica com medo de vender a uma pessoa que não vai pagar ou de comprar uma coisa de alguém que poderia enganar, de sair perdendo. Tenho uma preocupação muito grande de deixar minha mãe aqui, com a alimentação dela; ela está com 68 anos.[19]

Lia – Parque Maré

Funcionária da UFRJ, Lia estabeleceu uma vinculação com a universidade que envolvia tanto a questão profissional como a cultural/política. A Maré foi, então, durante muito tempo, um simples espaço residencial. Na criação do curso pré-vestibular do CEASM,[20] todavia, ela assumiu um papel signifi-

---

[19] Dois meses após a entrevista, Ana conseguiu comprar um pequeno apartamento na Glória, bairro da Zona Sul do Rio de Janeiro, e mudou-se sozinha para lá.

[20] Instituição fundada por moradores e ex-moradores da Maré, dentre os quais o autor, que foi um dos seus principais diretores. Sua extinção foi

cativo em sua materialização. No processo, ingressou em sua coordenação e, posteriormente, passou a ser uma das diretoras da entidade. Graças a esse engajamento, o CEASM tornou-se parte constitutiva do seu projeto socioprofissional, e sua relação com a Maré adquiriu outra qualidade.

Lia é dotada de uma admirável articulação de pensamento, aliada a uma prolixidade incomum. Pele clara, muito magra, cabelos longos, estatura média, roupas na linha da estética *hippie*, ela fuma bastante e se movimenta com frequência quando está em alguma atividade coletiva.

Realizamos a entrevista em sua casa. Seus filhos, duas meninas e um menino, estavam na escola. Seu marido chegou após termos iniciado a conversa e, de modo muito atencioso, preparou um café e retirou-se. A casa expressa claramente as referências culturais de Lia: bem arrumada, de bom gosto, bem dividida, dentro das possibilidades objetivas. Destacam-se na casa o grande número de livros e a personalização do espaço típica dos setores médios com maior capital cultural.

O que me dominava ao final do longo encontro, enquanto comíamos um ótimo bolo, preparado justamente para a ocasião, era a admiração por sua articulação de pensamento e sua capacidade de lidar com os conflitos passados e, principalmente, de construir uma vida saudável e afetuosa com o marido e os filhos. Saio de sua casa feliz e muito satisfeito com o fato de ela estar tão próxima.

---

definida de forma consensual em 2007, tendo, então, grande parte de seus integrantes fundado a Rede de Desenvolvimento da Maré. Todavia, um pequeno grupo descumpriu o acordo estabelecido e manteve o nome da antiga instituição. Logo, embora ainda exista formalmente, ela deixou de realizar suas atividades e perdeu sua relevância na Maré e na cidade.

Escola e família

Entrei na escola como toda criança: os pais obrigavam, pelo menos as famílias mais bem organizadas. Minha mãe era semianalfabeta, mas criava os filhos dentro do parâmetro: "Com 7 anos tem que ir para a escola." Eu até frequentei antes, tinha aquelas professoras em casa, as *explicadoras*. Então, mesmo antes dos 7 anos, eu já sabia quase ler o básico, e tinha uma caligrafia até legal.

Havia diferenças entre eu e meus cinco irmãos. Era uma coisa que minha mãe achava até genética, porque eu tinha facilidade de aprendizagem, mas todos eles tinham dificuldade. Minha mãe brincava dizendo que eu tinha sido trocada na maternidade. Eles tiveram o mesmo apoio em casa, mas nenhum terminou o 2º grau. Eu estudei na Escola Bahia, alguns estudaram na Escola do Padre.[21]

Eu era a mais velha e tinha total responsabilidade de ir para a escola, chegar, fazer meus deveres. Ninguém nunca me obrigou a fazer isso; eu gostava de estudar e ensinava aos irmãos mais novos. Quando estava com 11, 12 anos, eu ia às reuniões da escola, pois minha mãe era atarefada com o trabalho de casa: eram seis filhos.

Com a morte do meu pai, todos os meus irmãos resolveram parar de estudar. Eu continuei, consegui fazer prova, no fim do ano de 1977 para 1978, sem frequentar um monte de aula. Pegava matéria na sala de aula e não tinha dificuldade de fazer provas; passei com boas notas, mesmo naquele ano tumultuado.

---

[21] A Escola do Padre, que funcionava na Igreja Nossa Senhora dos Navegantes, foi utilizada como alternativa à ausência de vagas na rede pública local pelas famílias de três entrevistados. Os alunos recebiam uma bolsa pública.

O pai

Meu pai era daquele padrão antigo, que achava que mulher e filho só precisavam de comida, roupa e casa. Era mestre de obras, aquela pessoa que tem vários pedreiros e profissionais trabalhando para ele; tinha várias obras ao mesmo tempo. No fim de semana ainda construía a casa e obrigava a gente a trabalhar com ele.

A mãe

Somos seis filhos: três mulheres e três homens, um perto do outro. Sou a mais velha, a primeira neta, a primeira sobrinha. Por isso tive algumas regalias em relação aos meus irmãos: meu tio me dava uma mesada, só para mim, e eu tinha um quarto separado dos outros, pequenino, mas só meu. Acho que meus irmãos tinham ciúme; os outros primos, todos, tinham uma relação mais distante com a casa da minha vó.

Mas isso aconteceu também porque minha mãe, que tinha 18 anos quando nasci, teve nessa idade a primeira crise de esquizofrenia. Meus avós tinham um certo padrão de vida em sua cidade de origem, na Paraíba. Minha mãe era filha única, frequentava a classe média de lá, bordava com as *riquinhas*. Já o meu pai era conhecido como o carregador de água, e negro. Ela casou grávida de mim, e tinha fugido de casa para se casar com o meu pai. Foi para o hospital com toda essa pressão. Estava em trabalho de parto e tinha uma louca no hospital que gritava a noite toda. Ela ficou com um pavor tão grande que voltou em crise, fora da realidade. Fiquei quase um ano na casa da minha avó. Minha mãe passou dezessete anos sem ter uma crise, mas teve todos os outros filhos em casa.

Ela era uma pessoa muito nervosa. Apesar disso, sempre corria atrás de todos os tipos de tratamentos possíveis na área pública para um de meus irmãos – que tinha certo retardo mental – e para a gente também. Naquela época, já dava tratamento homeopático para nós. Ela trabalhava igual a um bicho, achava que era normal.

Meu pai morreu no começo de 1978; o câncer o devorou em seis meses – eu estava com 17 anos. Meu irmão estava tendo crises e, ocasionalmente, sumia de casa. Minha mãe começou a sentir a pressão dessa situação. Um dia, ela estava visitando meu pai e quase desmaiou. No mesmo dia, tomou uns três litros de sangue e fez histerectomia. Já saiu da anestesia em crise esquizofrênica, não conhecia ninguém e não queria ficar no hospital. E em casa ficou nesse processo de recuperação. Ela tomou conta do meu quarto. Ele morreu em março, ela ficou em crise até abril daquele ano.

Cotidiano

Eu tinha uma vida regrada, pois meu pai não admitia que ninguém ficasse na rua depois que ele chegasse, às 7 ou 8 horas da noite. Naquela época tinha baile de *soul* que a gente frequentava. A gente ia para vários lugares; o máximo que acontecia era ser roubado no ônibus, não tinha a violência que tem no *funk* de hoje.

Trabalho/escola/casa

Com 17 anos tive experiências de trabalho. Eu fazia aqueles cursos de formação que o Senac tinha, ali em Bonsucesso; fiz datilografia com 12 anos e meu pai me deu uma máquina de escrever, pois eu fazia os orçamentos das obras. Depois fui fazer um curso de formação geral para secretariado. Você aprendia a ter etiqueta: como partir uva com faca, comer direito, atender as pessoas, recepcionar, pôr a mesa, o trabalho de secretária, e funcionava também como agência de emprego.

Meu pai sustentava a casa, dava tudo. Eu era a primeira na sala a ter todo o material escolar. Meu pai não permitia que minha mãe trabalhasse fora, ela fazia até outros serviços escondida dele: lavava roupa, passava para fora para comprar outras coisas para a gente, que ele achava que não tinha necessidade. Ela que enfeitava, comprava outras coisas. Quando ele morreu ninguém trabalhava.

Todo mundo, então, foi trabalhar. Com 17 anos, fui a que trabalhou mais velha. A Preta começou a trabalhar com 13 anos, mas desde pequena ela queria ganhar o dinheiro dela. Eu não tinha grana praticamente para pagar a passagem para a escola. Minha mãe fazia faxina na Ilha;[22] eu ajudava, passava a roupa que ela lavava. Isso tudo para conseguir manter a matrícula, não perder os estudos até conseguir transferência para a noite. Minha mãe dizia: "Você não vai perder o ano, a gente dá um jeito." Minhas irmãs ajudavam na passagem. Mas tinham umas cobranças, porque elas também não eram boazinhas. "Essa daí fica em casa o dia todo, vendo televisão e lendo." Várias vezes tivemos crises.

Redes sociais

Meus amigos eram do colégio de fora da Maré. Eu tinha uma amiga que eu frequentava muito a casa dela. Ela tinha um namorado, a gente saía, e depois foram outros namorados que arranjamos, saíamos em grupos. No Clóvis Monteiro[23] tinha muito aluno de Ramos, do Méier. Era mesclado, tinha gente de conjunto habitacional de funcionário público, da periferia.

---

[22] Ilha do Governador.
[23] Colégio Estadual Clóvis Monteiro.

Antes de o meu pai morrer, eu fazia o 2º grau de tarde. A gente tinha mania de assistir àquele *Seis e meia*, do Teatro João Caetano. A gente frequentou muito o Cinema Olaria. Então a relação na escola era mais um vínculo social: a gente saía da escola ou se encontrava na escola. Não tinha, naquela época, incentivo para o trabalho em grupo. Eu tinha fama de *cdf*, terminava dando cola, fazendo trabalhos para os outros.

A gente ia ao teatro nessa época. A primeira vez que fui ao teatro foi com um amigo aqui da favela. Fomos ver uma peça – acho que era *Gota d'água*, do Chico Buarque – e tomamos *chopinho* no Amarelinho. Ele e outro amigo se destacavam dos outros garotos da rua: achavam que um dia iam dar a volta ao mundo, iam sair com a mochila nas costas. Eles pegavam o mapa e eu entrava na onda deles.

Os pais dos meus amigos da escola tinham instrução, tinham uma profissão mais específica. Com isso, eles tinham facilidade de encontrar empregos bons. Mas eles não tinham essa perspectiva de universidade. Eu ficava dizendo: "Você não vai fazer um vestibular?" "Para quê?, tenho que trabalhar." Achava estranho essas pessoas que não tinham a perspectiva de uma carreira, de fazer a universidade. Não sei se achava natural depois que comecei a trabalhar na universidade. Não tinha outro tipo de informação além da escola pública. Comecei a fazer um curso de inglês porque meu pai pagava, no primeiro ano do 2º grau, mas já sabia que queria fazer inglês, e meus amigos, mesmo os de classe média, não tinham isso.

Toda a matéria que era dada no 2º grau nunca me deu problema. Eu tinha uma redação bem organizada desde o primeiro até os últimos anos do ginásio, não cometia erro de ortografia, era ótima em análise sintática e tinha uma relação boa com o texto. Tinha uma imagem boa de uma professora de português. Nos dois últimos anos, as melhores aulas que eu tive foram com ela; foi nessa época que conheci *Dom Quixote*, uma versão bem adolescente.

Sempre tive uma ótima relação com livros, mas quase não os tive. Lembro que sonhei a minha infância toda com o *Tesouro da Juventude*, uma coleção com grandes clássicos da literatura infantil; a capa do álbum era brilhante, vermelha, com letras douradas. Aquilo era mais importante para mim do que uma roupa, um sapato. Mas eu nunca tive o *Tesouro da Juventude*.

Definições pelo curso superior

Comecei a trabalhar na universidade em novembro de 1978, graças a uma amiga daqui da Maré que trabalhava lá. Estava terminando o 2º grau. Trabalhava atendendo no protocolo do Centro de Tecnologia e estudava à noite. Na época do vestibular, escolhi Engenharia Química. Sobre a opção pela Engenharia, meu pai sempre falou assim: "Você um dia vai fazer Engenharia, vai ser arquiteta." Acho que queria, de alguma forma, satisfazer o gosto dele.

Escolhi Engenharia Química porque a necessidade de pontos era muito menor do que na Engenharia Civil, por exemplo. Só coloquei como opções a UFRJ e UERJ.[24] Não coloquei a UFF, pois achava que era muito longe.[25] No caso da Arquitetura, descobri que era um curso para a elite: gastava-se muito papel vegetal; precisava ter uma mesa de desenho em casa etc. Além disso, não tinha muito mercado de trabalho, mesmo que se montasse um escritório. Também sabia que não passaria porque não tinha habilidade para desenho. Sabia que Engenharia era superconcorrida, que o

---

[24] UERJ – Universidade do Estado do Rio de Janeiro.
[25] A UFF – Universidade Federal Fluminense – localiza-se em Niterói, cidade vizinha ao município do Rio de Janeiro, mas separada desta pela Baía da Guanabara.

pessoal tinha vindo de escolas boas, mas eu achava: "Sempre passei pelo sistema escolar tão fácil." Fiz o vestibular sem cursinho. Não lembro quantos pontos fiz, só sei que faltaram dois mil e tantos.

Fui, então, fazer o pré-vestibular. Na UFRJ, recebia uma miséria, mas dava para pagar o Miguel Couto. Tinha fama de ser o melhor, por isso fui para ele. Da minha turma do 2º grau ninguém fez cursinho comigo, cada um foi para um lado; a maioria casou, foi trabalhar, foi fazer outras coisas. Os que fizeram universidade agiram mais por imposição social: à noite, em faculdade particular, sem preocupação com o curso ou sua qualidade. Fiz o Miguel Couto também por causa da facilidade de acesso: tinha aula às 7 horas, saía às 6:30 do Fundão e pegava o ônibus Castelo vazio. Era muito mais fácil do que ir para o Méier ou Madureira.

Achava estranho o cursinho: eu não tinha nenhum amigo, vinha sozinha, andava sozinha, tinha uns professores que achava chatos, uma turma enorme, praticamente um auditório. Apesar disso, a maioria das aulas era boa. Foi a época em que virei praticamente *hippie*. O meu dinheiro só dava para pagar o Miguel Couto, a passagem e o cigarro. Eu costurava as minhas roupas, andava com uma sapatilha de purpurina, de camiseta. Essa foi a época em que mais vi filmes na vida, 1980. Eu via muitas coisas alternativas, vários lançamentos. Gostava muito de ler jornal, desde a época do 2º grau, em particular o *Jornal do Brasil* e a *Folha de S. Paulo*. Quando era adolescente comprava jornais aos domingos. Passei a ir a exposições, a museus.

Não tinha o hábito de estudar muito no fim de semana, não tinha grupo de estudo e me envolvia com as tarefas de casa. A maioria que fazia o curso à noite trabalhava; eu me dava mal em física, mas achava que estava dando conta da matéria. Assim, optei por tentar Engenharia Eletrônica. Eu a escolhi porque dava dinheiro, era então o grande ramo da engenharia e dava possibilidades para várias coisas, inclusive microempresas. Passei para uma particular. A Veiga de Almeida era a única entre as particulares que tinha Engenharia Eletrônica. A minha idiotice também foi grande: coloquei a Veiga antes da opção UERJ, que oferecia outra engenharia. Pelos pontos que fiz, podia ser remanejada para lá.

A primeira experiência de ensino superior

Comecei a fazer e só aguentei um período: acordava às 5:30 da manhã e pegava o ônibus supercheio. Meu salário dava exatamente para a mensalidade. Paguei matrícula, janeiro, fevereiro... Antes de terminar o primeiro semestre já estava num cansaço enorme. Era obrigada a cumprir um horário extra no trabalho, pois tinha horário especial para estudar: pegava na UERJ às 7 horas. Na primeira prova de física fiquei até feliz: tirei 3 e a maioria da turma tirou zero. Nunca havia tirado nota abaixo de 8 ou 7. Chegava em casa com um monte de exercícios para desenvolver. Dormi várias vezes com o livro de cálculo na cara.

No outro dia, estava com metade do exercício sem fazer. Eu estava com uma dificuldade enorme em física, o professor não dava quase nada, era uma coisa mecânica.

Já tinha maturidade e o conhecimento do próprio sistema universitário. Eu não podia pagar, não conseguia ficar pagando o meu salário todo; tinha uma calça, um tênis, minha irmã me dava camiseta, minha mãe complementava meu cigarro e pagava a passagem. Desisti de Engenharia.

Nova inserção na universidade

Fiquei dois anos sem estudar. Em 1983, fiz o vestibular para Letras. Não sei se foi um pouco de malandragem, por ser considerado um curso fácil de passar. Um amigo aqui da

Maré começou a fazer Letras antes e ele me falava que a gente desaprendia o que era português, depois ficava aprendendo a falar errado, essas coisas; achei engraçado. Eu tinha uma amiga que já fazia Letras, a gente discutia esse negócio nas horas vagas do trabalho e eu mantinha um caderno inteiro com poemas, achava um negócio legal. Procurava mais coisas, pegava letras de música... Fiz o vestibular sem estudar, sem muita empolgação.

Letras era um curso relativamente fácil; durante os primeiros períodos, fui uma ótima aluna. Meu emprego não exigia muita coisa, eu tinha tempo de preparar todos os meus trabalhos. Fazia os exercícios no horário do trabalho e também colava um pouco, mas os professores não ligavam. Eu queria fazer mestrado, fazer pesquisa, nunca quis ser professora. Toda garota tem aquele sonho de ser professora, principalmente porque, aqui, a maioria é casada, tem filhos. Eu não achava isso interessante, queria fazer outras coisas, ser independente, morar sozinha.

O trabalho na Feira Nordestina

Talvez não tenha me aprofundado tanto nos estudos por estar sempre envolvida com as responsabilidades de casa. Eu estudava, trabalhava e à noite ainda ajudava na Feira de São Cristóvão. Era uma loucura, minha mãe tinha prejuízo: no início, só ficava à noite, depois foi aumentando o ponto e ficando também durante o dia. Quantas noites de frio eu passei lá para não vender quase nada. Mas ela não abria mão daquilo, foi o sonho dela que a gente realizou. Eu chegava cansada, ia trabalhar no outro dia e ajudava a minha mãe. Ela era muito exigente nesse sentido: trabalhar e fazer faculdade eram coisas normais, eu tinha que trabalhar na Feira. Não que ela obrigasse, mas eu ia por causa dela.

Preconceitos

Tinha uma professora que dava aula de alemão e passou dez anos fora do país. Ela voltou falando: "O Rio de Janeiro ficou tão cheio de favelas, esta cidade ficou mais pobre." Eu não admitia isso, até teve época em que, como toda adolescente, eu tinha vergonha de dizer que morava na favela, mas com o conhecimento você se politiza em algumas questões. É muito ruim sempre se ver como inferior, em termos de acesso a bens, a fala, essas coisas. Mas nunca me privei de falar, não aceito isso. Se alguém faz alguma coisa, compro a briga; a questão mexe comigo. É a minha origem.

Mas aqui na favela você também é marginalizada. Fui chamada muitas vezes de *piranha*, porque dormia fora, viajava com o namorado; era metida porque usava determinado tipo de roupa, porque estudava. Outros, no entanto, respeitam, mas acham que você tem que dar conta de tudo, que é doutora.

Ações coletivas

Nesse período, comecei a participar de assembleias na UFRJ. Foi o início da luta para fundar a chapa de oposição da Associação de Funcionários, que nem existia, praticamente, em termos políticos. Fui me entrosando, passava fins de semana indo para a Praia Vermelha[26] ou para a casa de amigos discutir a formação da entidade. Eu trabalhei mais na organização, nunca participei da diretoria. Mas durante a greve teve um acampamento em que fui a responsável, isso em 1986. Naquela época você podia sofrer violência, tinha dois choques da polícia esperando a gente. Fiquei quinze dias acampada.

Minha mãe odiava a Associação de Moradores. Meu pai foi presidente e ela dizia que tomava o tempo todo dele; ele

---

26 Praia Vermelha – localidade onde fica um *campus* da UFRJ.

chegou a sofrer alguma violência por causa da Associação. Eu não participava da Associação, achava fisiológica. Quando comecei a fazer algumas coisas na universidade, no campo cultural, tentei trazer para a Associação; o rapaz falou: "Só se pagar ou arranjar uma boca na universidade."

Eu não gosto muito de certas articulações políticas. Não tenho paciência, não faço parte de um grupo; não tenho mais esse idealismo. Quando participei do movimento pensei que ia resolver várias coisas. Depois de várias tentativas, vi que era *massa de manobra*. Por isso acredito no CEASM. Ali não se estabelece esse tipo de relação; não é um grupo de pessoas que estão ali por política, que fazem determinados acordos para poder ganhar um.

Desejos

Nunca tive uma relação muito grande com a comunidade. Na adolescência, me afastei por causa da escola ou de grupos. Depois, passei a frequentar outro tipo de coisas, conhecer outras coisas. Eu tinha a perspectiva de fazer faculdade, não tinha identificação com as pessoas aqui dentro. Eu queria morar perto de um cinema, num apartamento onde eu pudesse ler, estudar. Aqui, fechava todas as portas e trancava o quarto de baixo para poder ter o mínimo de sossego. Hoje em dia, moro aqui por questão financeira mesmo. A Dalila estuda no Lemos da Cunha,[27] a Luísa também estuda lá. Numa época, eu pretendia mudar ali para a Ilha. Era uma época em que eu trabalhava em um projeto de linguística e ganhava uma bolsa do CNPq.[28] Minha mãe tinha morrido pouco tempo antes e eu não queria ficar aqui segurando onda de irmão, sendo mãe de irmão barbado...

---

[27] Colégio particular, localizado na Ilha do Governador.
[28] Conselho Nacional de Desenvolvimento Científico e Tecnológico.

DIÁRIO DE CAMPO

Carmem – Baixa do Sapateiro

Professora de história da rede municipal de educação, Carmem é uma mulher negra, com pouco mais de 30 anos. Ela expõe suas opiniões com firmeza, mas com certa displicência, valorizando um estilo mordaz. Atenciosa diante da proposta de entrevista, demonstrou curiosidade pelo tema, mas sem muitos questionamentos. A entrevista foi realizada em sua casa, assim como todas as outras. Foi a primeira vez que a visitei. Ela residia, então, em um quarto independente, no terreno da casa de seus pais e de outros parentes. O pai não se encontrava em casa, mas a mãe acompanhou toda a entrevista.

A mais velha de uma família com três filhas, Carmem foi a única que chegou à universidade. Suas duas irmãs tiveram trajetórias escolares distintas: a caçula fez o ensino médio, enquanto a irmã do meio – Clênia – parou de estudar ao concluir o ensino fundamental. No que concerne aos pais, ambos possuem níveis elementares de formação escolar. O pai, até se aposentar, era pintor de paredes, enquanto a mãe nunca trabalhou fora de casa.

No relato, tanto de Carmem como da mãe, a figura do pai aparece com um destaque especial: chefe incontestável da família, ele é apontado como o principal estimulador da escolarização das filhas. Considerado o responsável pela alfabetização das crianças, ele pressionou Clênia de forma particular, sendo ela uma aluna com graves dificuldades de aprendizagem:

> Meu pai tinha um caderno para cada uma das três filhas.
> Ele fazia desenhos de navios, helicópteros, avião, essas coisas, e escrevia... Então ele passou a escrever os nomes

ensinando as palavras, os números... Ele exigia muito em relação a isso, até demais... A Clênia não gostava muito de estudar, às vezes ele a ameaçava, e ela ficava com mais dificuldades.

As filhas foram para a *explicadora* antes de ingressar na classe de alfabetização; Clênia, apesar das dificuldades, não contou mais com esse auxílio após o ingresso na escola. Carmem, ao contrário, recebeu aulas de reforço em matemática na 5ª série. Com efeito, em relação a ela, transparece no relato de ambas a tentativa de apresentar uma predestinação para os estudos, fato que seria reconhecido pelos pais e pelas professoras: "Tinha uma escolinha aqui pertinho, eu lembro que a Clênia ia chorando e eu ia feliz." Nesse caso, sua dificuldade em matemática, por exemplo, era justificada como um fenômeno que atingia toda a turma, em função da incapacidade da professora.

A impressão que ficou é de que o aprendizado funcionava como uma forma de distinção na família, com desvantagem para a irmã com maiores limitações. "A Clênia gostava mesmo era de brincar de boneca", afirma, em tom de brincadeira, Carmem. Ela, assim como quase todos os outros entrevistados, aparentemente não sofreu influência dos parentes, principalmente os avós; além disso, as irmãs não tinham o hábito de estudar juntas: "Eu não tinha paciência de explicar os deveres para a Clênia!" A escrita também não era uma atividade comum no cotidiano. No máximo, havia o exercício de alguma leitura, fato característico na maioria das outras famílias.

Carmem estudou toda sua vida em escolas públicas. Na graduação, fez História na UERJ. Os pais não participaram da seleção da escola do ensino médio, sendo a influência maior de amigos e professores da escola: "Todo mundo dizia que o Mendes de Moraes[29] era melhor" – foi a justificativa apontada para a escolha, juízo expresso também por outros entrevistados, tais como Lurdes e Marcos.

Não há muitas questões em relação à escola, tanto na fala de Carmem como na da mãe. A instituição é vista como um espaço positivo, apesar de a mãe revelar que não tinha o hábito de frequentá-la, a não ser quando solicitada. O recurso à caixa escolar na escola primária era usual, principalmente para a aquisição de uniformes. Já no ensino médio, Carmem utilizava livros emprestados, xerox e material da biblioteca.

A gratuidade da passagem de ônibus para os estudantes, instituída no primeiro governo de Leonel Brizola (1983-1986), foi lembrada como um elemento valioso para a permanência no colégio escolhido. Cabe assinalar a identificação do pai de Carmem com o Trabalhismo de Leonel Brizola, embora ele não tivesse militância política em partidos ou em outras entidades sociais. Posteriormente, e pela influência de Carmem, ele passou a votar no PT.

O fato mais marcante da adolescência de Carmem foi sua vinculação à Pastoral da Juventude, entidade da Igreja Católica à qual esteve ligada durante mais de uma década. Em função dessa ligação, seu grupo social quase que exclusivo era formado pelos colegas da Igreja, e suas atividades sociais cotidianas também transcorriam nesse espaço:

> Eu nunca tive muito vínculo com o lugar onde moro. Nunca participei de nada, a não ser da Igreja, que não tem abertura para a inserção no lugar em que você vive.

A ligação restrita com a Pastoral da Juventude se expressava na conformação da rede social e, consequentemente, teve um papel importante na opção de Carmem

---

[29] Colégio Estadual Prefeito Mendes de Moraes.

pelo curso de História. O grupo religioso tinha afinidade com as posições defendidas pela Teologia da Libertação e sua valorização das lutas sociais e históricas. Além disso, sua opção foi justificada também pela ojeriza à matemática – "Eu sempre dependia do professor em matemática" – e pela influência de duas professoras: uma de geografia humana e outra de história. A primeira fazia mestrado em História e apresentava questões estimulantes para a turma; no caso da outra, a razão era afetiva: a professora gostava muito de Carmem, tratando-a com especial atenção, o que estimulava seu interesse pela disciplina.

Cabe ressaltar que Carmem não fez o vestibular imediatamente após o final do ensino médio:

> Eu não queria fazer faculdade, achava que estava bom ter chegado ali; mas como todo mundo da coordenação da Pastoral estava entrando na universidade, achei interessante.

Ela não trabalhava, dedicava tempo integral à Pastoral e não se colocava de forma decidida diante da questão profissional.

Carmem não fez curso pré-vestibular e prestou o vestibular para História duas vezes, tendo passado a primeira vez para a FAHUPE,[30] faculdade particular do Rio de Janeiro, a qual não teve condições financeiras de cursar. No momento de ingressar na UERJ, em 1987, ela não tinha ideia de como funcionava o ensino superior, pois, apesar do seu contato com universitários, a vivência desses na faculdade não era tratada no espaço religioso. A opção pela UERJ, então, foi feita, basicamente, em virtude de ser o único espaço físico universitário que conhecera até então: como integrante do Coral da Pastoral, ela fora cantar lá, em uma formatura.

---

[30] FAHUPE – Faculdade de Humanidades Pedro II.

Na universidade, Carmem teve dificuldade, no início do curso, em acompanhar as discussões realizadas. Sua experiência escolar centrada no estudo de uma história factual, mesmo, em alguns momentos, sob a ótica dos setores sociais subalternos, fazia com que tivesse grande dificuldade com as teorias historiográficas. Além disso, os professores lecionavam com o pressuposto de que todos os alunos tinham domínio do conteúdo da história, o que não era verdade: "A maioria da minha turma tinha vindo da escola pública, não tinha conteúdo. Começamos a pegar livros de 1º e 2º graus; a gente se virava." Aliado a essa dificuldade no campo teórico, apresentava-se um problema concreto, que ocupava uma parte significativa do tempo de Carmem: garantir a realização do curso, que demandava dinheiro para aquisição de livros, xerox, passagem, lanche, almoço... Mesmo assim, ela fez todo o curso no horário da tarde, praticamente sem trabalhar.

Carmem se formou em licenciatura em 1991:

> Não fiz o bacharelado [...] na época, tinha que optar por um ou outro e a maioria da turma queria licenciatura [...] mas me arrependi. Eu queria fazer História, e para mim História era bacharelado. Eu não queria ser professora. Estava muito voltada para a questão pastoral e para a questão da História, não tinha muito a questão profissional.

Apesar disso, após a formatura, ela não voltou mais para a universidade. Logo começou a dar aula em escolas da periferia, em precárias condições de trabalho.

Em 1994, ingressou na rede municipal, instituição com a qual revela sua profunda decepção:

> O colégio onde estou não tem projeto pedagógico, é cada um por si e eu não consigo fazer por mim mesma. Os alunos não conseguem ter a ideia de um projeto, de criar

alguma coisa. Eles não aprendem História, não aprendem absolutamente nada.

No período em que realizei a entrevista, Carmem acabara de ser demitida de um seminário, localizado em Nova Iguaçu. Ali, ela ministrava a disciplina de História da Igreja, e gostava muito de seu trabalho. A demissão ocorrera em função da exigência do mestrado, que ela hesitava em fazer havia anos, considerando que ainda não estava devidamente preparada para o desafio.

No plano de sua relação com a Igreja, Carmem se afastara havia alguns meses. Com os amigos dessa rede social passou a estabelecer uma relação contraditória, sendo que a maioria também se afastara da vivência religiosa coletiva: "Fiquei um tempo voltada mais para minhas questões pessoais, minha questão profissional, o que eu iria fazer, minhas questões financeiras."

Seu retorno ao trabalho coletivo ocorreu no processo de constituição do CEASM: "Para mim, tornou-se um calvário ir para reunião do PT, para convenção. Por outro lado, ir a reunião para montar o curso pré-vestibular, formar uma entidade, disso eu gosto." Materializando o desejo de cuidar mais de sua vida pessoal, alguns meses após a entrevista Carmem engravidou. Com o nascimento de sua filha, mudou-se com Cláudio, seu namorado, para uma casa próxima à de seus pais e, posteriormente, para a Ilha do Governador.

Cláudio – Morro do Timbau

O Timbau tem os melhores índices de qualidade de vida urbana, dentre as comunidades da Maré: não há barracos de madeira, o nível de limpeza é acima da média e os seus indicadores sociais – educação, saúde e renda – são os mais altos da área. Nessa comunidade mora Cláudio: ele tem a pele clara, cabelos lisos e negros, é alto e magro. Sempre bem arrumado e com uma fala articulada, Cláudio é o oposto do estereótipo tradicionalmente utilizado para classificar o residente da favela.

Morador do Timbau desde o nascimento, Cláudio atuou em variados movimentos da Maré – tive a oportunidade de conhecê-lo no Comitê da Campanha do PT na Maré, em 1989. Tornamos a nos encontrar em 1996-1997, no processo de criação do CEASM. Formado em Direito, trabalha como fiscal de posturas do município; no momento da entrevista, ocupava um cargo de chefia em uma divisão da fiscalização municipal. Além disso, na época da entrevista era o presidente da Associação de Moradores local.

A casa da família de Cláudio, projetada por seu pai, impressiona pela concepção: sala grande e alta, repleta de objetos artísticos – criado por Marcos, seu irmão, que estuda Artes Plásticas no Fundão, o espaço lembra, em sua concepção, as casas das camadas médias das décadas de 1940 e 1950. O quarto dos dois, outra característica desse estilo de casa, é pequeno, destacando-se a cama beliche e o computador, com uma série de acessórios sofisticados.

A entrevista transcorre na sala, com a participação eventual da mãe de Cláudio. Operária quando solteira, ela continuou a morar no Timbau depois que se casou e deixou de trabalhar fora quando nasceram os filhos, dois rapazes e uma moça. O seu forte orgulho pela trajetória escolar e profissional do filho, justamente o mais velho, é evidente, assim como sua forte vinculação com ele.

A fala de Cláudio é marcada, inicialmente, pela rememoração da organização socioespacial existente em sua infância no Timbau. Ele narra com orgulho o papel pioneiro de seu avô na organização de ações coletivas na comunidade, destacando sua postura solidária, já que fornecia luz para muitos moradores locais que não tinham acesso ao seu fornecimento regular.

O pai de Cláudio trabalhou durante a maior parte da vida como técnico de manutenção de máquinas de escrever.

> Meu pai sempre foi muito inteligente. Tinha uma facilidade muito grande com essa coisa de mecânica ou de projetos. Se ele tivesse feito uma escola técnica, se tivesse tido acesso a um negócio desses, seria um grande engenheiro. Mas ele casou cedo e acho que não tinha a visão de estudar.

A condição dos pais de Cláudio, no campo familiar, era marcada, então, pela contradição: por um lado, a condição profissional do pai fazia com que a família nuclear tivesse uma posição privilegiada na comunidade onde viviam: "A gente tinha um padrão de vida um pouco melhor do que a maioria das pessoas da comunidade. Ele foi um dos primeiros a ter carro." Por outro lado, no campo familiar paterno, a família de Cláudio tinha uma posição socioeconômica inferior.

Cláudio revela, assim, um desejo intenso de ascensão social, estimulado pelo desejo de superar a condição de inferioridade social vivida por sua família em relação à família do pai. Sua precocidade nos estudos contribuiu, então, para um forte investimento familiar no campo escolar. Com efeito, a facilidade em expressar-se, tanto pela fala como através da escrita, em um contexto social no qual essas competências não são usuais, teve um peso decisivo na sua trajetória social e escolar:

> Eu estudava num colégio em Bonsucesso; não tinha idade para a escola pública – tinha que entrar com 7 anos e acho que tinha uns 5 anos de idade. Eu também fazia o

catecismo aqui na igreja: com 5 anos já sabia ler e fiz a primeira comunhão. Sempre fui muito precoce nisso, as pessoas no grupo social me viam um pouco assim. Na aula de catecismo eu participava mais, a faixa etária era maior, mas eu participava mais, contava as histórias da Bíblia. As irmãs [de caridade] moravam aqui do lado e isso influenciou bastante. Acho que uma delas aconselhou minha mãe a me colocar para estudar; foi aí que ela me colocou no jardim de infância.

Após a passagem pelo jardim de infância, Cláudio foi matriculado no Serviço Social da Indústria (Sesi), que tem uma unidade próxima à comunidade. A vaga foi conseguida por dona Cremilda, *explicadora oficial* das crianças da rua:

Eu estudava, às vezes, com ela para complementar. Como ela era muito durona, inspirava mais medo do que admiração. Ela conhecia a diretora do Sesi e, apesar de meu pai não ter direito, conseguiu a vaga.

Cláudio tinha consciência, desde criança, da expectativa que gerava. Os vizinhos e os avós estimulavam, de forma particular, o seu estudo. A expectativa e o estímulo à escolarização se faziam presentes em toda a família e, de certa forma, nos vizinhos:

Nunca tinha alguém da minha idade nas turmas. Eu era um bom aluno e isso chamava a atenção dos professores. Eu demonstrava muito querer estudar e aprender. Mas tinha também aquela coisa da família e das pessoas que estavam em volta. Posso citar a dona Antônia, que morava aqui perto, os meus avós, que diziam assim: "Esse menino vai ser um doutor, vai ser alguém na vida." Havia muito isso.

Por seu turno, essa situação provocava um forte sentimento de responsabilidade – o que contribuía para que ele estudasse com mais afinco. Cabe salientar, nesse quadro, a situação dos irmãos de Cláudio: Marcos – o filho do meio, atualmente com 30 anos – tinha fama, desde criança, de não gostar de estudar:

> Acho que a comparação atrapalhou um pouco a vida dele, isso foi até prejudicial. Ele era mais novo do que eu e bem mais bagunceiro; eu era mais fechado, quase não ia pra rua, ficava em casa vendo televisão, lendo, coisas que criança na minha idade, aqui pelo menos, não fazia muito.

A família não se furtava a fazer comparações entre os dois irmãos, sendo profundamente criticada a postura *rebelde* do filho mais novo. No período da entrevista, depois de ter realizado inúmeros vestibulares, Marcos cursava o segundo ano de Artes Plásticas na UFRJ, tendo uma profunda identidade com o curso e com o ofício. Adriana, caçula da família, com 28 anos, estava concluindo Serviço Social na SUAM.[31]

Os pais não tinham o hábito de ler para os filhos, apesar de ficarem muito satisfeitos com a facilidade, e mesmo compulsão, de Cláudio pela leitura e pelo estudo. Vale ressaltar que seu contato com o pai era muito pequeno, tendo em vista sua grande carga de trabalho. Mesmo assim, Cláudio contava com um forte apoio para seus interesses literários e escolares: um tio paterno – no caso, marido de sua tia:

> Eu gostava muito de ler. Acho que era por causa da imaginação, pensava muitas coisas e sentia a minha cabeça muito fértil. A pessoa que mais me estimulava era meu tio. Ele não tinha nível universitário, mas lia muito jor-

---

[31] Sociedade Universitária Augusto Motta, universidade privada, localizada no bairro de Bonsucesso, vizinho à Maré.

nal, era muito inteligente, falava muito bem; ele estudou num colégio de padres, era muito informado e me estimulava muito.

O tio, funcionário público, comprava livros infantis, revistas e jornais, além de levá-lo para passear – cinema, clube etc. Seus tios moraram em vários bairros da Leopoldina – Vila da Penha, Vila Kosmos e Vicente Carvalho –, mas frequentavam a Zona Sul. Nessas oportunidades, ele teve acesso a programas culturais bem mais abrangentes do que a maior parte das crianças de sua comunidade, o que aumentava, de certa forma, sua diferenciação em relação a elas.

Seu tio estimulava mais a manutenção de seu desempenho escolar que os pais; estes ficavam satisfeitos, mas o naturalizavam, visto que a noção de talento pessoal era muito forte. O fato de os irmãos ficarem, ocasionalmente, reprovados reforçava essa perspectiva. Apesar de reclamar do desempenho deles, colocá-los em *explicadora*, a mãe se conformava, de certa forma. O que não a impedia – nem o grupo social nuclear – de utilizar o filho mais velho como paradigma do comportamento escolar e social, fato recorrentemente lembrado aos mais novos.

Os professores, vendo o interesse de Cláudio pelos estudos, o estimulavam muito. Seu desempenho – apresentado como fruto da inteligência e do estudo – era muito comentado na escola, o que lhe deu oportunidade, conforme ele relata, de dar aulas para os colegas sobre determinados assuntos. Em que pese essa condição, não se sentia discriminado, apesar da fama de *cdf*. Todavia, registra como a pior experiência de sua vida o ingresso, na 4ª série, na escola municipal próxima à sua casa – estratégia proposta por dona Cremilda e a irmã de caridade, que objetivava a garantia de uma vaga no ginásio em uma escola púbica. Cláudio ingressou em uma turma com alunos mais velhos: ele tinha 9 anos, enquanto os colegas já eram adolescentes. "Eles fumavam, namoravam, a maioria não gostava de estudar; eu era muito inocente. A professora era muito legal – me dava muita força."

Depois dessa escola, ele foi para a Escola Municipal Clotilde Guimarães. Seu forte eram história e português. Cláudio fez o ensino médio no Colégio Estadual Clóvis Monteiro, por influência de um grupo de amigos da escola municipal. Nesse período, reforçou seus vínculos com a Igreja, tornando-se coordenador do Grupo Jovem de uma capela da comunidade de Parque Maré.

Em 1980 fez o vestibular para Direito – apenas para as universidades públicas – tendo em vista o desejo de "defender os mais pobres, lutar contra a injustiça", além de sentir-se identificado com a profissão em função da possibilidade vislumbrada de utilizar seus dotes de orador, principalmente nos tribunais. A segurança na formação adquirida o levou a prescindir da realização de um curso pré-vestibular. Aos 16 anos, havia concluído o ensino médio e começara a trabalhar em um escritório de contabilidade durante o dia. A reprovação no primeiro vestibular foi um choque muito grande, afetando sua autoestima e, principalmente, revelando-lhe as limitações de seu processo de formação escolar. No ano seguinte, ingressou em um cursinho, estudou com mais dedicação e foi aprovado para a UFRJ.

Sua experiência na graduação foi marcada pela decepção, diante das limitações do curso, e pela descoberta da importância do capital social para o crescimento profissional. Em virtude da ausência desse e da falta de recursos financeiros para a montagem de um escritório jurídico com maiores ambições, Cláudio buscou um emprego no serviço público. Assim, pouco depois de formado, foi aprovado para o cargo de fiscal de posturas da Prefeitura Municipal do Rio de Janeiro, emprego no qual permanece até hoje.

Na fala de Cláudio reflete-se uma grande indignação pela estrutura social e, principalmente, pelos limites impostos pela organização social ao mérito pessoal:

> As limitações que a vida põe para a gente, pela nossa situação financeira, pela condição social, são muito grandes. O garoto de classe média não tem mais nem menos que a gente. Nós somos muito criativos. Desde garoto tenho um potencial muito bom. A gente está perdendo muitos garotos que poderiam estar oferecendo coisas boas para a sociedade. Acho que não sou exceção à regra; vi crianças aqui que poderiam produzir muita coisa.

Por outro lado, Cláudio, durante a entrevista, enfatizou o desejo de conceder mais tempo à sua vida pessoal e a intenção de mudar-se da comunidade, a fim de garantir um tempo maior ao seu processo de formação. Para realizar esse desejo, comprou uma casa na Ilha do Governador, bairro de classe média vizinho à Maré. Com o nascimento de sua filha, no início de 1999, ele e Carmem, sua namorada, mudaram-se da Maré no ano 2000, sem se afastar, entretanto, de suas atividades locais.

Eneraldo – Vila do João

Eneraldo foi-me apresentado como um típico fenômeno: proveniente de uma família nordestina que não tinha como característica o investimento significativo na escolaridade dos filhos, ele conseguira cursar Matemática na UFRJ, sendo o único entre os irmãos a ingressar na universidade. Ele teria sido aprovado em todos os concursos que tentou, sendo destacados sua obsessão pelos estudos e seu brilhantismo em matemática. Ele nunca fora vinculado a grupos comunitários ou à Igreja e tinha fama de ser de difícil convivência. No contato com Eneraldo, explico, em linhas gerais, os objetivos de minha pesquisa. Ele é muito receptivo, apesar de certo formalismo, e aceita de imediato ser entrevistado, o que ocorre, alguns dias depois, em sua casa. O quarto do professor, que mora com os pais, não possui porta e tem uma cama de solteiro. Chamou-me a atenção a presença de duas estantes de aço, com livros de matemática.

A figura de Eneraldo desperta minha imediata simpatia: muito magro, moreno, com óculos *fundo de garrafa*, parece um daqueles estereótipos de *cdf* que alimentam o imaginário escolar. Apesar da fala fluente, articulada e acelerada, Eneraldo não tem muito interesse em tratar de sua trajetória propriamente dita, que para ele não tem mistério: estudou durante toda a vida na rede pública, começou a trabalhar pouco depois de terminar o ensino médio, fez um cursinho pré-vestibular durante seis meses e passou para Matemática na UFRJ. Concluído o curso, ele foi aprovado em diversos concursos públicos: bancário do Banerj, magistério estadual e fiscal de rendas do município de São Gonçalo. As trajetórias escolar e profissional são explicadas a partir de seu esforço e sua ambição pessoal:

> Nenhum vento ajuda quem não sabe até que ponto deverá velejar; sempre quis, sempre perseverei, sempre fui obcecado pela leitura e me formei. A pessoa já nasce com esse dom. A minha grande frustração é não saber dirigir, mas isso também é um dom.

Sua família, segundo ele, nunca teve condições financeiras nem consciência do papel da escolaridade como projeto. Fornecia as condições materiais básicas e o apoio escolar fundamental, sendo ele um dos poucos entrevistados que não teve acesso a *explicadora* em nenhum momento de sua vida escolar.

Filho mais velho, Eneraldo parece nunca ter assumido o papel de liderança entre os irmãos, muito menos no campo familiar. A situação de isolamento no seio da família, no quadro de uma profunda paixão pelos estudos, contribuiu para certo descompromisso com a escolaridade dos irmãos mais novos, já que não sentia neles um esforço próximo ao seu. Com efeito, apenas a irmã concluiu o ensino médio, enquanto os irmãos não chegaram ao segundo segmento do ensino fundamental.

Seu ensino médio foi realizado no Mendes de Moraes, à noite. A fim de conseguir sua aprovação no vestibular, ele fez, com muito esforço financeiro – que incluiu a ajuda da avó, como informou sua irmã –, um curso pré-vestibular por seis meses. Foi aprovado no vestibular em sua primeira tentativa. Sua opção por Matemática foi absolutamente pragmática: ele pretendia entrar no serviço público, em função do seu pequeno capital social. E considerava que a profunda dificuldade nessa disciplina por parte da maioria dos candidatos aumentava sua possibilidade de aprovação. Nessa mesma perspectiva, a escolha da UFRJ se dera, basicamente, em função da proximidade, pois o curso de Matemática era na Ilha do Fundão, local próximo a sua casa – o que permitia a redução de seus custos financeiros.

A postura irônica sobre a falta de investimento familiar em sua escolaridade – ele começara a trabalhar aos 18 anos como *office-boy*, mantendo a condição durante toda sua vida universitária – é acompanhada da crítica à inutilidade do conhecimento veiculado nas instituições de ensino, em todos os níveis. A seu ver, elas se caracterizam pela condição *cartorial*, não tendo seus profissionais nenhuma preocupação com as necessidades fundamentais de aprendizagem do aluno.

Temeroso de sair à noite e sem contato com as pessoas da comunidade, Eneraldo expressa uma relação contraditória com o mundo, um misto de insegurança e valorização de sua competitividade:

> Pouquíssimas pessoas me deram apoio [ele não as revela, apesar de minha solicitação]. O professor pode ser o papa, mas se o aluno não colaborar... O cara tem que batalhar, tem que lutar... O professor da faculdade está mais preocupado com a grana, quanto vai receber; se o aluno aprendeu ou não, ele acha que isso não é problema dele.

Sua defesa da importância de ser competitivo se materializa em um jargão – repetido de modo frequente – que define sua estratégia escolar e profissional: "Cumprir para criar, criar para competir, competir para vencer e vencer para ser o melhor."

Diante disso, sua frustração profissional é muito visível, em virtude da perda da condição de fiscal municipal, cargo pelo qual sacrificara muitos anos de estudos. Isso porque, no período do estágio probatório, Eneraldo teve um surto psicótico. O problema gerou sua internação durante um mês, a exoneração do cargo, antes de cumprido o estágio probatório, e a aposentadoria precoce na rede estadual. Esses acontecimentos produziram um enorme sentimento de derrota, que vai se manifestar das mais diferentes maneiras na entrevista: "Destruíram meu sonho, o sonho de ter um padrão de vida, de ganhar bem, de chegar ao topo da montanha. Eu cheguei, mas me destruíram."

Ele explica seus problemas profissionais pela perseguição imotivada realizada pelo Banerj – instituição financeira na qual trabalhara antes de assumir o cargo de fiscal. Sua descrição da perseguição promovida pelo banco é vibrante, excitada e vista como o grande fator definidor de sua vida. Apesar da frustração, ele não desistiu de buscar uma melhor situação financeira, atuando como professor de cursinhos voltados para distintos concursos. A emoção que manifesta ao tratar do magistério é fascinante: a atuação na sala de aula é apresentada como sua paixão maior e o sentido de sua existência. Eneraldo destaca, em particular, sua atuação como professor de cursos preparatórios para o IME – Instituto Militar de Engenharia, fato que revelaria sua qualificação profissional. Trabalhando de forma intensa e não aceitando passivamente sua condição de aposentado, ele mantém um padrão financeiro que garante um alto *status* familiar, sendo percebido como o membro mais bem--sucedido, de acordo com sua irmã:

> Eu mesmo falo para o meu menino: "Olha seu tio, ele tá quase rico, porque estudou; é o mais rico da família, porque estudou." A gente sempre mostra ele como modelo, exemplo de força de vontade.

Assim, seu problema de saúde não significou uma desvalorização de sua posição familiar. Sua formação escolar, a capacidade financeira, a ausência de escolaridade dos irmãos, associadas a sua postura reservada, favorecem a construção de uma posição de autoridade. O fato se revela na exigência de que Eneraldo estimule, oriente e auxilie financeiramente a escolarização do único filho dela, com 5 anos de idade. A admiração não a impede de criticar os excessos cometidos por seu irmão em sua trajetória escolar, principalmente o fato de "ter estudado além da conta". Fica implícito que a justificativa familiar para os problemas psiquiátricos do filho mais velho se sustenta no excesso de estudos em toda sua vida.

Permaneço durante a entrevista envolvido pela fala articulada, ordenada e intensa de Eneraldo, mas angustiado por não conseguir resposta para algumas interrogações que poderiam me ajudar a compreender com mais exatidão as variáveis presentes em sua trajetória socioescolar. Assim como não valoriza a escola ou a universidade, Eneraldo não cita o nome de qualquer pessoa, seja professor ou amigo, que o tivesse influenciado. Toda sua fala gira em torno de si mesmo, todo seu *triunfo* gira em torno de seu esforço, de sua ética pessoal e sua busca dos *bizus* e *pulos do gato*. A impressão que tenho é de que a facilidade de Eneraldo em se expressar, o brilhantismo em matemática e sua dedicação aos estudos são os fatores fundamentais para sua inserção qualificada na escola.

A valorização do esforço pessoal não significa a ausência de preocupação social. Utilizando, de forma recorrente, o exemplo do sistema educacional construído em Cuba, ele assume um discurso radicalmente crítico ao capitalismo. Questiona, em especial, a desigualdade social, a falta de valorização do mérito individual, a centralidade do consumo e a alienação da população, em detrimento de aspectos mais importantes da existência, principalmente o conhecimento.

O esforço de Eneraldo em eliminar qualquer influência exterior em seu processo de formação remete-me à crença na lógica liberal, na qual o talento e a dedicação pessoais seriam os elementos, por excelência, definidores do sucesso escolar. Não se pode deixar de constatar, em seu caso, que a instituição educacional, aparentemente, teve um papel significativo no seu acesso às informações sobre o mundo social.

Mais do que isso, porém, seu aspecto frágil mascara uma pessoa com personalidade forte, racional ao extremo, que persegue seus objetivos de forma obsessiva.

Após nosso encontro, convidei-o a ingressar, como professor de matemática ou de física, no CPV-Maré.[32] O convite foi motivado pelo desejo de ajudá-lo a ampliar suas relações sociais e pela admiração por sua capacidade discursiva. Algum tempo depois, ele ingressou no curso. Suas aulas, então, provocaram furor. Na avaliação final do curso, ele – que tinha menos tempo de trabalho – foi o professor que reuniu o maior número de indicações ótimas, não recebendo nenhuma indicação regular ou insuficiente. No ano seguinte, infelizmente, em função de discordância de um grupo de alunos com seu método pedagógico, ele se afastou do curso.

Hélcio – Nova Holanda

Hélcio é um homem alto e forte, com ar sério, e um tipo físico típico do Nordeste, região de onde veio aos 10 anos de idade. Casado aos 22 anos, atualmente com três filhos, morou com os pais em Nova Holanda desde sua chegada ao Rio de Janeiro. Posteriormente, residiu no Parque Maré e no Conjunto Esperança. No início da década de 1990 mudou-se para um pequeno apartamento na Penha, bairro da Leopoldina, onde mora até hoje. Quando manifestei o desejo de entrevistá-lo, foi muito receptivo, colocando-se imediatamente à disposição. A entrevista foi em sua casa, tendo contado, em determinados momentos, com a participação de Roseana, sua esposa. Como nunca tínhamos conversado sobre sua trajetória escolar, o relato teve um forte caráter descritivo, sendo muito centrado no seu percurso escolar, na produção de seus gostos culturais e no seu processo de pertencimento social.

---

[32] Curso Pré-Vestibular da Redes da Maré.

Apesar do jeito aparentemente sisudo, Hélcio gosta de conversar e, nos momentos em que trata de temas mais pessoais, revela uma sensibilidade pouco manifesta no cotidiano. Ao contrário da maioria das entrevistas até ali realizadas, nessa tratou-se mais das questões subjetivas – com Hélcio refletindo mais sobre a produção dos seus vínculos sociais e culturais, assim como as razões de suas escolhas profissionais. Nesse formato, a conversa desenvolveu-se com leveza, mesclando momentos mais objetivos e considerações mais subjetivas.

Os pais de Hélcio – João e Maria – tiveram doze filhos; destes, apenas seis se *criaram* – cinco moças e ele, o único rapaz, o mais velho. O fato mais significativo da família, no plano educacional, é que todos os filhos atingiram a universidade, estando cinco deles formados e uma no meio da graduação.

Hélcio nasceu em 1959, na cidade de Serra Branca, no Cariri paraibano. Ele chegou ao Rio de Janeiro em 1970, e foi direto para Nova Holanda. Ao contrário do estereótipo que se tem da maioria dos migrantes do período, seu pai tinha um padrão social em Serra Branca que, no contexto da cidade, o situava nas camadas médias locais: "A gente tinha um padrão de vida bom – comia bem, estudava, tinha roupa, essas coisas. O que era normal lá, a gente tinha tudo, como filho de comerciante emergente."

A preocupação de seus pais com a escola não era expressa via recomendações discursivas, mas através da tomada de iniciativas concretas:

Meus pais achavam que a coisa mais importante para os filhos era estudar. Não sei exatamente de onde eles tiraram isso – nem minha mãe tinha estudado muito nem ele. Lembro que comecei a estudar bem antes de entrar na escola normal: estudava de manhã e de tarde com professores particulares, lá em Serra Branca. A gente estudava muito. Isso era o mesmo que um *status*.

A necessidade de vender o negócio, em função de uma úlcera nervosa, e a alegada preocupação com a educação dos filhos levaram o pai a migrar para o Rio de Janeiro – com toda a família, que veio meses depois. Em Nova Holanda, passaram a morar em um pequeno barraco de madeira, utilizado como residência e como espaço de geração de renda: parte do imóvel era utilizada como um pequeno armarinho. Posteriormente, o negócio se tornou o principal estabelecimento comercial da comunidade, vendendo desde artigos de cama e mesa até brinquedos, enlatados, doces e bebidas.

A mudança para o Rio de Janeiro provocou uma significativa perda na qualidade de vida de toda a família, principalmente das meninas. Temeroso dos riscos que enxergava no espaço local, o pai não permitia que as crianças tivessem acesso à rua, sendo o tempo delas dedicado à escola e à Igreja Católica da comunidade. Quando chegaram ao Rio, todas foram matriculadas na Escola Municipal Nova Holanda, exatamente em frente à casa em que residiam. Hélcio, que já estava na 5ª série, foi matriculado na Escola do Padre, situada na Igreja dos Navegantes. Nessa escola particular ele fez o restante do ensino fundamental: "Eu cheguei no meio do ano, não achava vaga. Terminei por fazer todo o ginásio lá."

A forte preocupação com a escolarização não se refletia no acompanhamento escolar. Os pais não conversavam sobre o desempenho, nem acompanhavam as tarefas cotidianas. Não havia, também, o hábito da leitura – nem mesmo de jornais. Com isso, os únicos livros que circulavam na casa, nos primeiros anos após a chegada ao Rio de Janeiro, eram os escolares. Com o avanço nas séries escolares, o pai comprou uma enciclopédia *Barsa*, muito valorizada pelos filhos.

Mais do que um brilhante desempenho, a aprovação era considerada o aspecto mais significativo da prática escolar:

> Meus pais não tinham essa coisa de ir à escola, nem colocar em *explicadora*. A obrigação da gente era dizer que tinha sido aprovado, mas eles não acompanhavam, nunca estudaram juntos.

Um dos dados mais curiosos da trajetória educacional da família de Hélcio é o fato de a chegada dos filhos à universidade se fazer presente no horizonte dos pais, principalmente de "seu" João: "Eles pensavam mais ou menos assim: 'O estudo acaba é quando se forma. Não é no ginásio, nem no 2º grau.' Então, desde o início, eu estudava para chegar à universidade." Essa perspectiva de ensino superior era reforçada pela presença cotidiana dos amigos da escola de Hélcio em sua casa. Com efeito, a grande quantidade de alunos da Maré na Escola do Padre tornava o contato com Nova Holanda "natural" para os amigos de Hélcio que residiam em bairros vizinhos. Por seu turno, o fato de vários parentes de seus amigos estarem na universidade e/ou terem a perspectiva de nela ingressar era um fator a mais para a percepção do acesso a esse nível de ensino como algo intrínseco ao trajeto escolar.

Outro fato incomum na fala da grande maioria dos outros entrevistados é a ausência, na família de Hélcio, da valorização especial do talento cognitivo para avançar na escola. Ali, o que definia o desempenho escolar era o esforço pessoal: todos podiam atingir o objetivo de ser aprovado, desde que cumprissem suas obrigações. Nesse caso, a ética do trabalho era o fundamento da ação familiar. Assim, a atividade escolar era vista como uma forma de trabalho, que deveria ser sustentada via dedicação continuada.

Não se destaca, então, algum filho no que concerne ao talento cognitivo, assim como não é perceptível a valorização maior do desempenho escolar de um deles. Ilustra essa postura a explicação dada por Hélcio para o não ingresso de uma das irmãs na universidade pública – ela cursara Psicologia em uma faculdade particular considerada de baixa qualidade: "Ela se acomodou, não se esforçou; achou que era o suficiente."

A contribuição da ética do trabalho na permanência escolar era reforçada pelo acesso restrito das crianças à vizinhança. O controle da circulação na vizinhança tornava a escola – e a igreja, no caso das meninas – o espaço de socialização por excelência. Diante disso, a rede social construída por Hélcio girava em torno das relações estabelecidas na Escola do Padre: "Boa parte do pessoal com que convivo até hoje eu conheci nesse período do ginásio." O diferencial entre ele e as irmãs é que, apesar da simplicidade da escola particular, ele estabeleceu a maior parte de suas relações com adolescentes que residiam fora do espaço da Maré. Hélcio, ao contrário das irmãs, estudou toda sua vida na rede privada. Com temor de sacrificar financeiramente o pai, que nunca apresentou qualquer restrição ao desejo do filho, Hélcio sempre estudou em instituições com baixa mensalidade, inclusive o curso pré-vestibular. A opção pelo ingresso em uma escola privada no ensino médio deveu-se às relações estabelecidas na Escola do Padre.

Não havia a participação dos pais na definição do percurso escolar dos filhos. Após a conclusão do ensino fundamental, Hélcio escolheu todas as escolas em que entrou, fez matrícula e comunicou aos pais as medidas necessárias para sua manutenção. A exigência familiar era que estudassem e se formassem, não havendo uma maior preocupação com a qualidade pedagógica da escola onde os filhos estudavam.

Outra característica da trajetória de Hélcio e das irmãs é a falta de preocupação maior com a questão financeira. O pai atingiu, ainda na década de 1970, um padrão de vida bem superior ao dos vizinhos – expresso, por exemplo, em uma alimentação farta e variada, na posse de carro zero quilômetro e de um telefone. Além disso, "seu" João tinha uma grande preocupação em oferecer algumas atividades lúdicas às crianças: cinema, praia, circo e visita a lugares turísticos da cidade. O fato de possuir uma loja que vendia material escolar, além dos doces mais variados, fazia com que os filhos fossem considerados *ricos* pelos colegas da comunidade. Cabe assinalar que, a partir da entrada na adolescência, todos os filhos tinham que trabalhar pelo menos três horas diárias no estabelecimento comercial, inclusive aos sábados, domingos e feriados.

A posição privilegiada, no entanto, não se expressava na moradia. Apenas em 1981, depois de onze anos ocupada, a casa sofreu reformas e deixou de ser de madeira, adquirindo um maior número de cômodos. Mesmo assim, manteve suas características populares e um nível de conforto abaixo da condição financeira usufruída pela família. A explicação para esse baixo investimento no espaço físico – e para a manutenção da família em Nova Holanda – era a priorização da escolaridade e da alimentação de boa qualidade, além do fato de "seu" João optar por investir na sua cidade de origem. Sua intenção maior era voltar para lá, quando se aposentasse, projeto realizado em 1991.

A ligação com a cidade de origem era um elemento muito significativo no cotidiano dos pais de Hélcio, assumido pelos filhos:

A gente saiu de Serra Branca em 70 e só voltou, de férias, em 74. Na época, tive contato com o pessoal que tinha estudado comigo. Depois eu voltei, em 78, e "descobri" que era paraibano, passei a valorizar mais essa coisa de ser de lá, a gostar mais. Ficava discutindo tudo – a política da cidade, a música regional.

A dupla vinculação – amigos da escola e de sua região de origem – era alimentada, já na adolescência, pelas opções musicais então descobertas:

> Eu saía muito, ia a todo show do que hoje é considerada a boa música popular brasileira – Caetano, Gil –, já conhecia o pessoal do Ceará (Fagner, Ednardo, Belchior) e o pessoal da Paraíba.

O envolvimento foi reforçado pelo afastamento precoce de amizades feitas em Nova Holanda:

> Nos três primeiros anos eu convivi bastante aqui. Conhecia todo mundo, mas, com 13, 14 anos, o pessoal começou a usar drogas em festinhas que a gente mesmo organizava. Nesse tempo, "rapei" fora; foi um ato consciente. Uma vez, tentaram me fazer usar, brincando; achei aquilo meio violento e me afastei dos caras.

Nesse período, seu pai estava preocupado com o forte interesse pela *rua* e, principalmente, a falta de disposição do filho em ajudá-lo em seu negócio – que crescia cada vez mais. Isso fez com que "seu" João o colocasse para trabalhar em uma loja no centro da cidade:

> Eu trabalhei um ano e meio. Só não podia parar de estudar; e não queria parar – estudava de noite e trabalhava de dia. Eu bancava a escola, me sustentava, ficava muito por minha conta.

O início precoce da vida profissional não obliterou o desejo de fazer faculdade – no caso, de Engenharia Civil:

Fazer esse curso era uma questão de identidade: o "paraíba" vem para o Rio trabalhar em obra. E eu tinha vários tios que trabalhavam em obra – eles eram feras, tinham sucesso profissional nessa área, ganhavam bem. Convivia muito com eles. Então resolvi, desde pequeno, trabalhar em obra, mas em outro departamento. Meus tios valorizavam esse desejo. Todo mundo vinha para cá ganhar dinheiro, e era na obra que se ganhava dinheiro. O curso superior era uma forma de ganhar dinheiro e também uma forma de ter ascensão social e financeira. E nunca achei nada excepcional passar para Engenharia, era só estudar. O problema é que eu trabalhava em pé o dia inteiro, dormia no ônibus, dormia na sala.

Assim, no terceiro ano do ensino médio, Hélcio falou com seu pai:

Se eu quero passar no vestibular, preciso parar de trabalhar. Posso? "Pode." A partir dali, trabalhava um pouco no armarinho, estudava durante o dia e à noite concluía o terceiro ano. Nunca fui de estudar muito, só no vestibular. Fazia isso com um amigo, que também queria fazer Engenharia.

Ambos foram reprovados na primeira tentativa, na qual só optaram pelas universidades públicas: "Eu estava muito tenso. Quando disse que não passei, não houve críticas." A partir desse insucesso, Hélcio matriculou-se em um cursinho, no centro da cidade, que tinha um custo muito baixo.

Estudei bem menos que no ano anterior – estava meio saturado e achava que não ia passar, mas já tinha mais base. Lia muito jornal e tenho uma facilidade grande de gravar assuntos que ache interessante; a memória me ajudou muito a estudar. Além disso, teve mais gente que me ajudou. Eu era muito fraco em inglês, como sou até hoje.

No que concerne à instituição escolhida, Hélcio afirma que a falta de uma melhor orientação sobre a carreira universitária, apesar dos variados contatos sociais, terminou definindo seu ingresso, nessa segunda tentativa, no curso de Engenharia Civil da UCP – Universidade Católica de Petrópolis:

> Eu não sabia o que era crédito, e o valor que tinha no caderno de inscrição para o vestibular correspondia a um crédito, e eu achava que aquela unidade era o que teria de pagar no total. Tanto que fiz pontos para passar na UFF, só que a primeira opção era para a UCP.

Após um ano estudando em Petrópolis ("Nesse período, sim, meu pai teve que fazer um esforço extraordinário"), Hélcio transferiu-se para a Faculdade Nuno Lisboa, atual UniverCidade. No plano do conteúdo, afirma:

> Eu tinha muita dificuldade em absorver o que o professor dizia, eles nunca foram fundamentais para mim. Tinha que trabalhar muito para aprender as matérias do curso, principalmente as exatas. A falta de base que eu tinha era muito grande.

Inserido na universidade, a hegemonia da perspectiva democrática naquele espaço fez com que ele se identificasse a partir de então, no campo eleitoral, com esse campo político – embora sem uma convicção mais profunda ou um nível de atuação mais *militante*. Apesar do esforço financeiro, a família tinha orgulho pelo fato de Hélcio estar cursando a faculdade de Engenharia, o que não o liberava de ajudar no armarinho. Assim, todo o seu tempo livre era dedicado ao negócio, principalmente às atividades mais pesadas e importantes, como fazer determinadas compras.

Formado em 1984, já casado e com um filho, ele ingressou na Secretaria Municipal de Desenvolvimento Social, em 1985, na gestão do PDT – Partido Democrático Trabalhista, sendo transferido, posteriormente, para a Secretaria Municipal de Habitação. Nesse período, duas irmãs de Hélcio já tinham ingressado na universidade, além de terem uma forte atuação na comunidade, tanto na Igreja Católica como na Associação de Moradores.

A identificação das irmãs com o PT, sendo Hélcio o único dos filhos a se identificar com outro partido, não influía em seu envolvimento com as atividades comunitárias: sem nunca ter se envolvido diretamente em qualquer instituição local, ele prestava, com frequência, apoio técnico às obras realizadas pelas entidades às quais sua família era ligada: a Igreja Católica, a Associação e, mais recentemente, o próprio CEASM.

No serviço público, Hélcio assumiu um comportamento técnico. Com isso, apesar da rotatividade dos partidos, ele foi ocupando, gradativamente, posições mais destacadas na hierarquia da Secretaria, chegando a ocupar um dos principais cargos de direção do órgão. Isso não impediu que ele se mantivesse auxiliando "seu" João na loja. Assim, em 1991, Hélcio assumiu, com outras irmãs interessadas, a condução do negócio, após a viagem dos pais para a Paraíba. Atualmente, ele possui três depósitos de bebidas na Maré. Com isso, seu ritmo de trabalho atinge cerca de 14 horas semanais.

Nesse sentido, apesar do alto cargo profissional, Hélcio não só manteve como aprofundou seus laços com a cultura popular nordestina. Assim, contraditoriamente, ele passou a ter interesses culturais e uma rede social mais próxima ao universo popular do que tinha na adolescência e na juventude, ao contrário da maioria das irmãs, que preservaram as preferências culturais afirmadas por ele na adolescência. O elemento comum entre eles é o forte vínculo com a cultura regional nordestina e com a cidade natal.

No período em que realizamos a entrevista, todavia, Hélcio vinha reordenando suas escolhas, inclusive no plano cultural. Prestes a completar 40 anos, com o filho mais velho estudando Odontologia na UERJ, ele mudou seus hábitos alimentares e passou a adotar uma alimentação mais *light*. Com isso, sem acompanhamento médico e sem considerar que fizera um grande sacrifício, perdeu cerca de 25 quilos. A transferência das filhas para um colégio mais caro, mas de melhor qualidade, expressou a ruptura com uma estratégia escolar baseada, parcialmente, em sua própria trajetória. Ele considerava pouco relevante investir em uma escolarização de melhor qualidade no ensino fundamental, apesar do juízo distinto das irmãs.

A impressão que ficou, após a longa conversa, é que Hélcio vem incorporando e/ou expressando valores próprios à posição social/financeira e ideológica que ocupa. Atualmente, ele vem ampliando seus contatos com as irmãs e com os amigos do trabalho, de forma abrangente.

O que me vem à mente, na busca de apreender sociologicamente essa dinâmica pessoal, é que a dinâmica de aquisição das disposições que sustentam as práticas sociais não se esgota. Elas são continuamente submetidas ao embate com as realidades nas quais o agente é construído/constrói. Indo além, todavia, do plano sociológico – visto que não é seu papel revelar todas as questões –, saio feliz da conversa, sentindo-me mais próximo não apenas de meu entrevistado, mas também de um querido amigo e cunhado.

Lúcio – Parque Maré

O fato de Lúcio ter realizado três cursos em universidades públicas – Física, Pedagogia e Psicologia, todos diurnos – fez com que variados interlocutores o recomendassem como uma pessoa adequada para ser entrevistada. Participante da Associação de Moradores do Parque Maré, na condição de vice-presidente, terminei por conhecê-lo apenas no processo de formação do corpo docente do pré-vestibular do CEASM. Quando fui conversar com Lúcio a respeito da possibilidade de conceder-me a entrevista, ele expressou satisfação, dizendo já saber da pesquisa e que estranhara eu não tê-lo procurado até então.

Morador de uma área fronteiriça entre Nova Holanda e Parque Maré, Lúcio, então com 34 anos, residia com a mãe, a irmã mais velha, a filha e a irmã caçula em uma das áreas mais degradadas da Maré. Sua moradia não difere das outras, refletindo uma realidade diferenciada da maioria dos entrevistados até então. No decorrer da entrevista ficou compreensível a razão do aparente descaso.

A entrevista foi na sala, com a mãe de Lúcio participando ocasionalmente. No espaço destacava-se um moderno computador, com vários livros de inglês ao lado, assim como um dicionário. Não há outros livros nesse espaço, em que pese a certeza de que eles existem no quarto. Ele me recebe de forma atenciosa e sorridente, deixando-me muito à vontade e apresentando-se muito disponível.

A participação da mãe de Lúcio é peculiar: profunda admiradora do filho, ela ressalta continuamente sua dedicação a ele e o aponta como o filho predileto, sem nenhum constrangimento. A dedicação da mãe se expressou, por exemplo, na compra regular de todo o material escolar do filho, apesar das dificuldades financeiras. A pensão alimentícia concedida pelo pai de Lúcio era utilizada exclusivamente para suas necessidades, não entrando, em geral, no orçamento familiar. Além disso, a mãe relata, orgulhosa, como ia aguardá-lo às 22 horas na saída de um curso que ele fazia no Méier, quando adolescente. Ficou evidente que sua atuação não significava a definição de uma estratégia centrada na escolarização, mas sim o *apoio logístico* às demandas trazidas pelo filho, com a forte preocupação em que ele ficasse satisfeito e conseguisse atingir seus objetivos.

Lúcio é o primogênito e único homem de uma família integrada por mulheres – além da mãe e de três irmãs, moravam na casa uma avó, que teve forte participação em sua criação, e a sua filha, de 10 anos de idade. A mãe sempre trabalhou durante todo o dia, o que fez com que os cuidados da casa e das crianças fossem assumidos pela avó. O excesso de trabalho, aliado à admiração pelo filho e à predileção assumida, fazia com que a mãe investisse todos os esforços materiais em sua alegria: "Tudo era para o Lucinho, era só pra ele." A postura era assumida tanto pela mãe como pela avó. Esses elementos geraram um sentimento misto de admiração e temor da parte dos outros membros da família nuclear.

Digna de comentário é a chegada da irmã caçula de Lúcio: até então, ele falara das outras irmãs com formalidade, e mesmo distanciamento. Com Ariane, entretanto, tem uma clara relação paternal. Ela é uma adolescente de cerca de 16 anos, perfil típico de classe média. Seu evidente orgulho dessa irmã, ao contrário do sentimento que revela pelas outras, é explicado pela integração acentuada destas às práticas socioculturais mais comuns da favela. Sua fala é mais rigorosa com a que estudou pouco, gosta de *farra*, de beber e não se preocupa em crescer profissionalmente.

A impaciência de Lúcio em auxiliar as irmãs, que se traduzia em uma postura agressiva, terminou por fazer com que ele se afastasse da vida escolar delas. Esse afastamento consolidou-se no ensino médio, sendo por ele justificado como decorrente da *inadaptação* do seu estilo de vida e de estudo ao das irmãs. A forte comparação – realizada pela mãe e a avó – entre o seu desempenho escolar e o delas, a predileção existente e as suas formas diferenciadas de inserção no espaço local terminaram por dificultar o relacionamento entre os irmãos e o próprio desempenho escolar das irmãs.

No caso da caçula, a situação é distinta. Lúcio é o responsável pela definição da estratégia escolar seguida por ela – e pela filha. Ele a encaminhou de forma peculiar: ao final do ensino fundamental, matriculou-a no curso Kumon – especializado no ensino de português, matemática e japonês. No plano da seriação escolar, Ariane faz o ensino médio através de um curso de educação semidireta – ordenado em módulos disciplinares, que vão sendo estudados de forma flexível. Além disso, seu irmão, que tem uma excelente formação na área de informática, a mantém no curso de informática e no curso de inglês. A responsabilidade financeira por essas atividades é dele.

O que mais chama atenção em Lúcio é o seu esforço em ordenar a existência e o aprendizado. Com efeito, ele é um homem organizado, racional, defensor ardoroso da utilização de métodos padronizados para a consecução dos objetivos desejáveis. No caso, essas características se refletem na identidade com uma perspectiva pedagógica mais técnica, centrada na busca de instrumentos didáticos mais formais e diretivos no plano escolar.

Por outro lado, sua paixão pelo conhecimento, sua crença na ciência e seu anseio em contribuir para que a realidade mude, na perspectiva dos trabalhadores, são contagiantes. Assim, ele procura ser o mais objetivo e claro possível, mas também persuasivo e vibrante na defesa de suas posições. Como se deu em algumas entrevistas – as de Carmem, Cláudio e Eneraldo –, o relato é construído a partir da compreensão da trajetória pessoal como decorrente da "vocação" para o estudo, resultado da busca do conhecimento e do gosto pela leitura. No caso de Lúcio, em particular, um problema de saúde até os 10 anos de idade o impedia de fazer esforço físico, o que estimulou seu interesse pelos estudos e pela leitura: "Como não podia desenvolver atividades físicas, desde pequeno eu gostava de ler. Com 5 anos eu comecei a ler, praticamente sozinho. Fui para a *explicadora* aos 6 anos." Além disso, ele se mudara para a Maré, com cerca de 12 anos, bastante contrariado: a moradia próxima a um valão, que gerava uma concentração gigantesca de mosquitos e um odor fétido, e as precárias condições da casa geravam um sentimento de inadaptação ao espaço físico, além de vergonha e desagrado com o espaço local.

Essas circunstâncias contribuíram para que Lúcio estabelecesse com a escola uma relação privilegiada. Com pouquíssimos amigos na vizinhança e profundamente identificado com o espaço escolar, ele desenvolveu uma postura negadora do espaço local – nunca, por exemplo, tendo levado um colega da escola à sua casa. Ele "não conseguia se entrosar muito bem com os valores locais" e tinha limites para aprofundar as amizades estabelecidas na escola. Essa contradição só foi relativamente quebrada quando ele ingressou no Grupo Jovem da Igreja Católica local: "Foi quando encontrei pessoas com ideias mais parecidas com as minhas." O encontro não influenciou, de maneira efetiva, sua trajetória escolar e social. Apenas reforçou, por meio do contato com jovens que assumiam comportamentos próximos ao seu, a certeza do caminho traçado.

Lúcio é marcado por uma fala muito centrada em si, nos caminhos que estabeleceu para atingir seus objetivos. Esses caminhos são fascinantes: o contato com *explicadoras*, desde a alfabetização até a 7ª série, em função da baixa escolaridade dos seus familiares, caracterizou também a falta, em geral, de participação de membros de sua família na definição de sua estratégia escolar. A influência familiar se revelou apenas na identidade com uma prima de Natal, muito estudiosa, que ambicionava chegar à universidade. Além disso, ele cita a colaboração pontual do tio operário, que contribuiu para seu ingresso, no ensino médio, na Escola Metalúrgica – pertencente ao Sindicato dos Metalúrgicos do Rio de Janeiro.

Por outro lado, Lúcio não se recorda de algum professor que tenha tido uma influência maior em suas escolhas. Na verdade, ele tem um nítido orgulho pelo modo como estabeleceu sua estratégica escolar: o contato, em Natal, com a "Barreira do Inferno", Centro de Pesquisas Espaciais do Governo Brasileiro, na adolescência, e a facilidade com as disciplinas de física e matemática despertaram nele um forte desejo de fazer faculdade. Sua motivação para isso, mais do que a questão profissional, seria a paixão pelo conhecimento. Convencido da fragilidade da escola pública para atingir esse objetivo, Lúcio buscou fazer um ensino médio que o preparasse melhor. Por isso foi estudar na Escola Metalúrgica, além de frequentar, ocasionalmente, algumas aulas no Fundão, a fim de estabelecer contato com a universidade.

A opção pela instituição universitária era pragmática: "Eu sempre quis a UFRJ, nela não gastaria dinheiro com passagem e bandejão. Se fosse para a UFF, teria que gastar dinheiro com passagem." Ele coletava essas informações, dentre outras fontes, em jornais vendidos em bancas. Lúcio foi, dentre todos os entrevistados, o que tinha maior capital informacional sobre o ensino superior.

Mesmo assim, o ingresso na universidade foi adiado. Ele ingressou no CPOR – Centro de Preparação de Oficiais da Reserva – no mesmo período em que foi aprovado em seu primeiro vestibular, para Física. Diante disso, terminou adiando seu ingresso na universidade, justamente a UFRJ, em função do desejo de garantir alguma reserva financeira.

Terminou por ficar quatro anos no Exército, período marcado pela angústia. O sentimento era derivado da consciência política, despertada no período de estudos na Escola Metalúrgica, e da ausência de estímulo, intelectual e profissional, na carreira militar. Livre dessa atividade, Lúcio ingressou, então, no curso de Física, após apresentar um processo administrativo para reconquistar a vaga, em função da ultrapassagem do período formal de trancamento da matrícula.

No curso escolhido, ele não tinha dificuldade com as disciplinas, mas sentia falta de uma formação no campo das ciências humanas, em particular o estudo de técnicas e métodos facilitadores da aprendizagem. Esse desejo fez com que buscasse, enquanto terminava Física, o curso de Pedagogia. Nesse caso, sua decepção foi profunda:

> Eu esperava algo mais técnico. Posso resumir o curso de Pedagogia em poucas palavras: a criança é subnutrida, a culpa é do governo! Tudo girava em torno desse ponto. O curso não me deu elementos para resolver o problema dessas crianças.

Lúcio só encontrou o que queria na Psicologia. Interessado no trabalho com crianças portadoras de lesão cerebral, ele fez o curso na UFRJ, definindo a partir de então o seu campo de atuação profissional. No período da entrevista, ele era professor de Física do estado e fazia mestrado na Coppe/UFRJ,[33] numa área com pouquíssimos especialistas: a psicofisiologia. Seu objetivo maior era tornar-se professor universitário.

Toda a atuação de Lúcio, seja na associação do Parque Maré, da qual foi vice-presidente, ou no CEASM, onde se integrou ao Laboratório de Informática, é centrada na busca de trabalhar a aprendizagem. Ironicamente, seu jeito alegre, entusiasta e generoso sofre alterações quando ele atua em grandes grupos, tal como ocorreu com o CPV-Maré, no qual atuou como professor de matemática e de física. Diretivo, exigente e rigoroso, com uma profunda crença em que apenas com muita disciplina e esforço é possível ao jovem dos espaços populares atingir os objetivos desejados, Lúcio teve dificuldades de adaptação ao curso. Com efeito, a diferença entre sua forma de atuação e a da maioria dos professores, além da resistência dos alunos, terminou por fazer com que ele se afastasse do pré-vestibular.

Apesar do compromisso político que passou a ter com a comunidade, Lúcio revela, ao final da entrevista, um forte desejo de sair da Maré e transferir-se para um local com melhor qualidade de vida, de preferência fora da cidade do Rio de Janeiro. Mas só admite fazer isso ao lado da mãe, profundamente relutante a esse projeto. No final do ano 2000, entretanto, Lúcio mudou-se para Guapimirim, cidade localizada a 60 quilômetros do Rio de Janeiro e próxima à região serrana do Rio de Janeiro. Sua mãe permanece na Maré.

---

[33] Coordenação dos Programas de Pós-Graduação de Engenharia da Universidade Federal do Rio de Janeiro, atual Instituto Alberto Luiz Coimbra de Pós-Graduação e Pesquisa de Engenharia.

Lurdes – Parque Maré

Meu interesse em conversar com Lurdes derivou da característica singular de sua família, marcada pela contradição entre a postura dos pais em relação à escola e o percurso educacional dos filhos. Eu já tinha conhecimento, por exemplo, da proibição do pai de que a filha mais velha fosse fazer Serviço Social em uma faculdade do interior do Rio de Janeiro. Apesar do contexto, três entre os seis filhos concluíram a universidade e um chegou a nela ingressar, por duas vezes, apesar de não terminá-la.

Eu tinha conhecimento da importância concedida à irmã mais velha – Celeste – no sentido de desbravar barreiras impostas pelo pai. Mas queria confirmá-la com a irmã caçula. No momento da entrevista, Lurdes morava com os pais, depois de residir algum tempo fora da Maré num apartamento alugado em Bonsucesso juntamente com uma amiga. A casa é pequena, modesta e antiga; fizemos a entrevista na cozinha, estando na sala a sua mãe – que participou ocasionalmente – e seu namorado. Lurdes é uma mulher tímida, com jeito juvenil, apesar de, no momento da entrevista, estar com 32 anos. Formada em Literatura Inglesa pela UFRJ, ela trabalha como funcionária administrativa da própria universidade, em cargo de nível médio, e dá aula em cursos de inglês, inclusive no CPV-Maré.

A fala de Lurdes destaca dois personagens familiares: o pai e a irmã mais velha – com nove anos de diferença em relação a ela. A mãe de Lurdes é por ela definida como uma espécie de "irmã mais velha". A representação não se dá em função de uma maior proximidade com os filhos, mas em virtude de sua ausência de poder. No caso de Celeste, todavia, é evidente seu papel de referência, na infância, para Lurdes:

A minha irmã mais velha foi minha alfabetizadora. Eu tinha 6 anos e já lia; ela dava aula para o pessoal da rua e eu entrei nessa. Mas não me lembro de minha mãe me botando para estudar.

Sobre o pai, Lurdes questiona profundamente sua postura repressiva. Na lógica dele, o mundo da favela era profundamente perigoso; com isso, obrigava os filhos a ficar a maior parte do tempo dentro de casa, vigiados pela mãe e por algumas vizinhas. Seu temor era tão grande que o levava a reprimir até a tentativa da filha de estabelecer vinculações mais estreitas com a Igreja:

> A Celeste cansou de apanhar por insistir em ir para a Igreja; ele achava que o Grupo Jovem era um bando que só queria namorar. Ela era catequista desde pequena, ele cansou de rasgar o livro de catecismo dela.

A escola, nesse quadro, aparecia como uma atividade inevitável. Não há, na fala de Lurdes ou na da mãe, uma valorização maior do papel mediador da instituição – seja como forma de conquistar melhores posições sociais, como espaço de aquisição de cultura ou mesmo como um local que possibilitasse evitar as influências negativas percebidas na localidade. De fato, até mesmo a ida para uma escola particular local – a Escola do Padre, instalada na Paróquia Nossa Senhora dos Navegantes – foi explicada pela mãe como alternativa às filas que eram enfrentadas para conseguir matrícula na escola municipal próxima ao Parque Maré.

O que não significava, contudo, uma falta de preocupação com a ida das crianças para a escola: "Todo mundo tinha bolsa na Escola do Padre, ninguém pagava... Eu procurava bolsa, tinha que se inscrever." A forte vinculação da mãe de Lurdes com a Igreja talvez seja um elemento adicional explicativo para a facilidade em matricular as crianças nesse espaço escolar; de certa forma, era um espaço menos *público* na realidade local, e fortemente marcado pela presença dos membros da Igreja.

Após o papel inicial cumprido pela irmã em sua alfabetização, Lurdes não precisou mais contar com a sua ajuda. A base inicial recebida, associada ao seu comportamento dedicado aos estudos, tímido e solícito, fez com que, durante a maior parte do ensino fundamental, ela tivesse o melhor rendimento da sala. O bom tratamento por parte dos professores, a onipresença do pai e o desejo de ser aprovada contribuíam para essa postura. Também auxiliava o seu rendimento a situação financeira estabilizada do pai, em relação aos vizinhos – ele era mestre de obras, assim como o pai de Lia. Nessas circunstâncias, ela e os irmãos adquiriam, sem grandes dificuldades, os materiais solicitados; Lurdes chegava a levar dinheiro para o lanche.

Não havia pressão dos pais em termos de notas, ou mesmo de aprovação. Também não havia cobrança para que os exercícios fossem feitos ou um acompanhamento maior das atividades escolares. Quando algo nesse sentido se fazia necessário, cumpria à Celeste cuidar – quer atuando como *explicadora* dos que tinham dificuldades ou, principalmente, superando barreiras e criando mecanismos de solidariedade entre os irmãos, contra as normas impostas pelo pai: "Quando a Celeste começou a fumar, ela botava todo mundo dentro do quarto para fumar junto, para ninguém contar para ele. Era a gente contra ele." Apesar da solidariedade presente entre os irmãos, a principal forma de pressão existente sobre o rendimento escolar era manifesta entre eles: "O pessoal todo encarnava na Lídia. Mas minha mãe não colocava na *explicadora*, a Celeste é que dava aula para nós."

No ginásio, já em uma escola municipal, Lurdes valorizava a instituição, sobremaneira, como um espaço lúdico:

Eu já não era mais a primeira da sala. Mas ali não queria mais ser a primeira porque ficava muito afastada do resto da turma, e eu não gostava disso. Queria era brincar; eu brincava muito.

Nesse período, começaram a se manifestar dificuldades em uma disciplina específica – matemática, na qual ela era uma aluna regular, tendo que estudar bastante, em determinado período do ensino médio, para passar. E a questão de ser aprovada fez-se mais importante do que nunca: "Meus irmãos tiveram reprovações, mas para mim a coisa era complicada."

Nessa época, o campo de circulação social de Lurdes consistia na escola e no grupo jovem. Na escola, namorou pela primeira vez, segundo ela, "apenas aos 14 anos, pois achava que meu pai via tudo". Sua escolha do Colégio Mendes de Moraes para fazer o ensino médio decorreu da valorização social desse estabelecimento: "Todo mundo falava que era o melhor colégio." Os dois irmãos considerados mais *fracos*, por seu turno, foram para a Escola Bahia, estudar à noite. Cabe salientar que todos os irmãos concluíram o ensino médio, tendo uma irmã realizado isso depois de casada e de ter três filhos.

A opção de Lurdes pelo curso universitário é definida, inicialmente, no ensino fundamental:

> Tinha uma professora que eu gostava muito, ela dava aula de ciências. Contava as coisas que fazia, as pesquisas. Ela tinha ido para a Alemanha e o meu sonho era ser bióloga, trabalhar com pesquisa e ir para a Alemanha.

A opção a acompanhou durante todo o ensino médio. Todavia, o entusiasmo, no primeiro ano, em manter um ritmo forte de estudo, já visando o vestibular, logo se diluiu. Lurdes passou, então, a estudar apenas o suficiente para não ficar reprovada.

Nesse período, sua inserção na escola era pequena; apesar de não participar mais do Grupo Jovem, sua rede social cotidiana era composta por jovens da Maré – principalmente de Nova Holanda, com os quais fazia seus programas culturais e dividia suas vivências. Assim como a maioria dos entrevistados, ela reconhece – expressando certo constrangimento – que nunca teve facilidade em dizer aos amigos do colégio onde morava. Apenas depois de algum tempo de convivência isso era colocado, mas eles não tinham o hábito de frequentar sua casa. Sua ligação com Nova Holanda era tão forte, então, que ela dizia residir nessa comunidade.

O primeiro vestibular foi feito logo após o término do ensino médio, sem nenhuma preparação adicional. Na primeira vez, Lurdes passou para a Gama Filho, mas não se matriculou por não verem, nem ela nem a família, a menor possibilidade de pagar. Colocara como opção essa faculdade por falta de informações mais precisas: "Lendo aquele caderninho do vestibular, o curso não era tão caro." Nessa época, Celeste trabalhava como professora primária da rede municipal de educação; depois de tentar várias vezes ingressar no ensino superior, terminou por fazer o curso de História na SUAM.

Lurdes ainda tentou o vestibular duas vezes, sempre para universidades públicas ("ou eu fazia uma boa ou não fazia"), antes de começar a trabalhar e fazer um curso de inglês no Brasas: "Eu estava com 20 anos e achava que já não tinha muito tempo, não queria ficar estudando sete anos em um CCAA ou fazendo a Cultura Inglesa."[34] O bom

---

[34] Brasas, CCAA, Cultura Inglesa – cursos privados de língua inglesa.

desempenho no curso a estimulou a tentar o vestibular para a UFRJ. Aprovada, começou, aos 24 anos, o sonhado curso superior, que era para ela mais importante do que a questão profissional, à época: "Me ofereceram um emprego na TV a cabo, era uma grana, e eu falei 'não quero, não', e não fui."

O desejo de terminar a faculdade é acompanhado da crítica à postura de Lucas. Ele, apesar de ser o irmão com maiores dificuldades de aprendizagem, sempre mantivera o desejo de estudar. No caso, afirmava uma característica distinta do pragmatismo tradicional dos estudantes dos meios populares. Assim, na busca de se desenvolver, adquirir novos conhecimentos, Lucas terminava por se envolver com muitas coisas "nunca terminando-as", no juízo da irmã. Ele ingressou, por exemplo, no curso de Ciências Contábeis e no de Ciências Sociais, este na UFRJ, não dando sequência a nenhum deles. Na época da entrevista, casado e com dois filhos, Lucas trabalhava em uma função administrativa nos Correios e não colocava em seu horizonte imediato o retorno ao curso universitário.

Cabe salientar que a família nunca se envolveu nas escolhas ou práticas definidas pelos filhos/irmãos. Não havia o hábito de auxiliar financeiramente os que faziam seus cursos, tampouco interlocuções a respeito das escolhas realizadas. Cada um definia suas estratégias de acordo com seus interesses: "Aqui em casa a gente não procura problematizar muito, é cada um com a sua individualidade."

O contraponto a Lucas e a Lurdes, de certa forma, é Evaldo. Ele ingressou na PM[35] e, desejoso de fazer concurso para delegado, optou por fazer o curso de Direito, também na SUAM. Não conseguindo viabilizar seu projeto, tornou-se comerciante na localidade e saiu da corporação. Evaldo foi

---

[35] PM – Polícia Militar.

o que assumiu um padrão comportamental mais próximo ao do pai, que se materializa em uma concepção de mundo conservadora e nos valores e preferências culturais mais próximos dos hegemônicos no horizonte popular.

Os vínculos sociais estabelecidos historicamente tiveram um papel significativo na definição das práticas socioculturais e nas afinidades políticas de Lurdes: eleitora do PT, em função da influência da Igreja ("toda a Igreja era de esquerda, naquela época"), ela aprecia MPB, filmes de drama e romance. Nesse quadro, seu retorno, à época, para a casa dos pais foi justificado pela impossibilidade financeira de morar, por exemplo, no centro de Bonsucesso; afinal, suas principais amizades já não moravam mais na Maré, assim como a identidade com as práticas culturais e o espaço local era inexistente. Nesse processo de *desenraizamento*, não se reconhece em Lurdes uma mulher distinta das camadas médias *progressistas* da cidade.

O que a diferencia, atualmente, é o seu envolvimento com o CPV-Maré: professora de inglês, ela engajou-se desde o início em sua formação. No processo, foi agradável vê-la defendendo posições pedagógicas centradas no respeito às condições particulares dos alunos, assim como a dedicação e a confiança em seu trabalho – mesmo consciente das dificuldades em realizar um trabalho com língua estrangeira com os alunos da Maré, que, em sua imensa maioria, não haviam tido, em suas vidas escolares, um contato sistemático com a língua.

Márcia – Morro do Timbau

Conheci Márcia poucos meses antes de realizarmos a entrevista. Márcia, 32 anos, trabalha em uma função administrativa na Secretaria Municipal de Habitação. Ela tem duas irmãs mais novas, ambas graduadas. Em seu caso particular, o vínculo profissional tem mais significado do que o curso realizado – Letras, na FAHUPE. Márcia ingressou no serviço público municipal em 1985, na função de agente comunitária, experiência de vários jovens envolvidos com o trabalho coletivo na Maré nesse período. Desviada da função, ela se tornou uma usuária qualificada da informática, garantindo assim uma melhor condição profissional na Prefeitura do Rio de Janeiro.

A importância do campo familiar faz-se presente durante todo o período da entrevista, que foi realizada na presença da irmã mais nova, Rafaela. Esta é representada, e se apresenta, como uma típica filha caçula – *filhinha da mamãe*, como afirma Márcia –, valorizada pela sua trajetória e pelo bom desempenho escolar demonstrado desde a infância. Rafaela emite suas opiniões com firmeza, de forma monossilábica, sem um esforço maior em aprofundar suas falas.

Márcia atua como um contraponto à fala da irmã; com efeito, ela, de acordo com sua própria representação, seria *a despachada, a esperta e a faladora*. Com uma estatura acima da média, e um rosto marcado pela origem nordestina materna, Márcia impressiona por sua impetuosidade, sua capacidade de intervenção e pela facilidade de valorizar as virtudes que acredita possuir.

Marineide – a irmã do meio – não apareceu no quarto, embora se encontrasse em casa. Apesar do bom rendimento escolar, quando criança, isso não se refletira, até então, em uma melhor condição profissional. Formada em Jornalismo pela SUAM, ela até então não atuara na profissão. Marineide terá um papel importante na criação do CEASM, ocupando, desde o seu início, a secretaria administrativa.

A casa na qual moram – todas as irmãs são solteiras e nela residem – é típica das famílias locais que ascenderam socialmente: dois andares, com um terceiro em construção. Todas as filhas trabalham, ao contrário da mãe – esta foi operária quando solteira, parando de trabalhar após o nascimento da segunda filha –, e se responsabilizam pela manutenção da família. Apesar desse envolvimento coletivo, é evidente o papel de liderança familiar assumido por Márcia.

No decorrer de sua fala, ela concede um forte destaque à figura do avô paterno, que teria tido uma ótima condição econômica em determinado momento da vida. Essa referência à situação privilegiada do avô é um elemento-chave na trajetória familiar. Com efeito, quando Márcia tinha 10 anos, o seu pai perdeu o emprego e nunca mais encontrou outro em condições iguais. Com isso, a família passou dificuldades profundas e teve que sair do bairro de Irajá, na periferia da cidade, para o Timbau.

Na comunidade residia um número significativo de tios e primos, além dos avós maternos, que os acolheram. A partir de então, Márcia estabeleceu uma relação contraditória com esse espaço social: por um lado, ele significava a perda da antiga posição social – fato profundamente sentido pela família. Por outro, a família ampliada reunia um grande número de primos, além de possuir uma forte representatividade na comunidade. Assim, a experiência cotidiana se pautava pela inserção comunitária, havendo uma grande identidade, na infância, entre o campo da vizinhança e o campo familiar.

Nesse contexto social, a família de Márcia ocupava uma posição intermediária: o projeto de melhoria – ou resgate – da posição econômica e social passava, prioritariamente, pela escolarização. Esse investimento era ditado, na prática, pela mãe:

Minha mãe não tinha estudo nenhum, mas sempre conversava comigo: "Minha filha, eu já capinei, já passei dificuldades na vida e não quero isso para vocês. Até o 2º grau, eu e seu pai vamos fazer de tudo para vocês estudarem." Então ela cortava cabelo, vendia roupa, fazia qualquer coisa para ajudar no orçamento.

Elas estabeleceram uma maior identidade com a família de seu primo Cláudio, com maior capital econômico, cultural e social, no âmbito local. Por outro lado, havia uma forte vinculação com outros primos, em condições socioeconômicas precárias e com um menor grau de organização familiar. As diferenças em relação a esses últimos, no entanto, começaram a ser demarcadas muito cedo:

> Eu sempre falei que a educação da gente era diferente da maioria das pessoas. A gente tinha horário para tudo, as crianças aqui não tinham horário para nada, brincavam o tempo todo. Eu ia para a escola acompanhada de meus pais e só podia ver televisão depois de fazer o exercício.

A relação contraditória com os primos e a luta empreendida por Márcia para atingir seus objetivos diante das dificuldades de aprendizagem são os aspectos mais significativos da entrevista:

> Quando eu estava na faculdade as dificuldades eram muito grandes, principalmente financeiras... Mas eu dizia que, nem que fosse com 50 anos, iria me formar.

A primeira barreira a ser superada foi a alfabetização: um problema fonoaudiológico gerou grandes dificuldades para que ela se alfabetizasse: "Levei três anos para ser alfabetizada; mas eu era muito esperta: mandava um amiguinho ler e decorava os textos." O fato era agravado pelo ótimo desempenho escolar do primo:

O Cláudio era superinteligente, eu tinha fama de burra; afinal, ele era meu grande concorrente, apesar de sermos muito amigos. Mas eu era espertinha, sempre consegui resolver tudo sozinha.

Com efeito, essa estratégia permitiu que Márcia não tivesse reprovações na escola, apesar de a alfabetização só ter sido concluída na 3ª série, e da dificuldade profunda em exprimir-se pela escrita.

A estratégia social construída por Márcia, naquelas circunstâncias, foi a de assumir o papel de *executiva familiar*. Tendo em vista sua alegada *esperteza* e a enorme capacidade de trabalho, ela terminou por assumir para si a resolução das dificuldades que se apresentavam no cotidiano, tanto da família nuclear como dos seus parentes – principalmente aqueles com maiores dificuldades socioeconômicas. Da mesma forma, esse comportamento engajado era assumido nas unidades escolares pelas quais passou, o que facilitou seu desempenho escolar.

Essa postura terminou por se desdobrar no envolvimento com as atividades comunitárias, no caso, um trabalho educativo na creche da comunidade. Contratada em 1985 como agente comunitária, terminou por se transferir para a estrutura administrativa da Secretaria da Habitação. Ali, conseguiu – após a formatura em Letras, na FAHUPE – uma gratificação, que melhorou significativamente seus vencimentos. Posteriormente, ingressou, com Cláudio, na Associação de Moradores. Enquanto ele assumiu a presidência, atuando mais como uma figura de representação, ela, em cargos distintos da diretoria, colocou-se no papel de responsável pela administração da entidade, resolvendo os problemas que se apresentavam no cotidiano.

Outro dado característico ressaltado por Márcia em sua trajetória é o fato de todas as filhas serem solteiras, assim como os primos da casa de Cláudio. A maioria dos seus primos da localidade se caracterizou pelo casamento e/ou gravidez precoce. Com isso, a permanência na escola foi prejudicada:

> Essa trajetória nossa pode ser explicada por uma coisa que é forte na gente: nenhum de nós casou. Todos os outros primos casaram; nós temos primos que se casaram aos 15 anos e a mulher tinha que se dedicar ao marido. Aqui tem muito machismo, alguns até tentaram fazer o nosso caminho e não conseguiram. Acho que a sexualidade foi precoce, eles namoravam muito e para estudar a gente não podia namorar muito, era difícil conciliar. Para mim, o importante era ser independente financeiramente e, aí, sim, chegar a um dado momento e encontrar meu "príncipe encantado"... apesar de que, pela minha mãe, nós teríamos nos casado cedo, depois do 2º grau.

Márcia fez a maior parte do curso básico em escolas públicas. O seu maior desafio, contudo, foi o vestibular:

> Entre o 2º grau e a faculdade, fiquei cinco anos. Inicialmente não fiz porque não tinha dinheiro, depois foram três anos tentando. Só passei na quarta tentativa, depois de fazer o cursinho.

O desejo profundo de fazer a universidade era explicado como uma forma de atingir um maior grau de conhecimento, mas principalmente como um modo de conseguir uma melhor condição social, dentro ou fora da Prefeitura – o que se revelou uma decepção: "A desilusão foi muito grande, o mercado estava muito fechado e se ganhava muito pouco."

A opção pelo curso de Português-Literatura foi justificada pelo envolvimento com o trabalho da creche:

Eu queria fazer Economia, Administração – era mais o meu perfil, só que na creche percebi nas crianças a dificuldade que existia em mim, que consegui superar. Então achei que o curso que poderia ajudar seria o de Letras.

Matriculada na FAHUPE, Márcia rebate as interpretações sobre a fragilidade do curso realizado, ressaltando a importância dele para seu crescimento educacional:

Tudo que aprendi, agradeço ter passado por essa faculdade – consegui ler melhor, compreender alguns deslizes meus, superar problemas de minha alfabetização; além disso, tinha um grupo de alunos que era bom, além de possuir até laboratório de línguas.

Apesar de ressaltar a legitimidade de sua graduação, seu orgulho maior foi a realização de um curso de especialização em Literatura Infantil na Faculdade de Letras da UFRJ, localizada na Ilha do Fundão. Ela afirma, então, que o maior sonho de sua vida escolar estava realizado: Márcia ingressou na universidade situada exatamente em frente à sua janela, exemplo de excelência escolar. E em uma situação peculiar: na faculdade privada ela pagava para estudar, enquanto no Fundão recebeu uma bolsa.

A chegada de Cláudio, ao final da entrevista, nos levou a conversar sobre as condições de moradia no Timbau, as dificuldades decorrentes da violência e a vinculação com o local. A sensação de que sua condição de universitários, associada à moradia na favela, lhes dá certa distinção, tanto dentro da comunidade como fora, é percebida com alegria. O desejo de ter acesso a outros espaços e produtos culturais, todavia, fica evidente na fala de todos, e com Márcia não é diferente:

Desde que comecei a trabalhar tive que ajudar minha família, todas as despesas com as meninas era dividida entre meu pai e eu. Agora estou tratando mais de mim, meu grande investimento sou eu.

Marcos – Nova Holanda

Com 33 anos na época da entrevista, Marcos tem um jeito questionador, uma fala bem articulada e um forte interesse em temas políticos e sociais. Ele mora em Nova Holanda, em um imóvel que reúne três casas, a sua e de outras duas irmãs. Sua residência é simples e, como tantas outras da comunidade, encontra-se em obras. A arquitetura é tipicamente popular, com sala, dois quartos, cozinha e banheiro – sendo a sala o ponto de entrada para a casa, com os outros cômodos sendo descortinados a partir dela. As paredes ainda estão no emboço, mas destaca-se no ambiente um computador – bem equipado e valorizado por todos os membros da família.

A entrevista foi feita no quarto de sua única filha – então com 5 anos de idade; sua esposa brincava no computador, sem participar diretamente da entrevista, a não ser em raras ocasiões – basicamente para lembrar alguma data, quando solicitada por Marcos. O relato foi o último que coletei, um pouco depois de ter fechado e transcrito todos os outros. Meu objetivo ao buscá-lo era identificar uma determinada estratégia familiar, considerada comum nos estudos clássicos sobre os investimentos escolares feitos por famílias dos grupos sociais populares: o investimento em um determinado filho a fim de que ele cumprisse o papel de trampolim para a ascensão escolar do conjunto familiar. No caso de Marcos, todavia, ocorreu algo distinto desse quadro hipotético.

O tipo físico de Marcos é bem diferente do padrão presente em Nova Holanda: pele clara, cabelos longos e lisos, ele e sua família escapam aos estereótipos clássicos sobre os moradores das comunidades de baixa renda. Único carioca da gema entre os entrevistados – seus pais também nasceram na cidade –, Marcos mudou-se para a Maré em 1969; e já no relato dessa transferência aparece a grande figura do relato: sua mãe, Maria Amélia:

> Minha mãe sempre foi muito batalhadora, a vida inteira. Conseguir morar aqui já foi o fruto de uma grande batalha: quando a Praia do Pinto queimou, os moradores foram removidos em sua maioria para Vila Kennedy, ou seja, lá para a Zona Oeste. E a minha mãe se recusou a ir para um lugar tão longe.
>
> Ela invadiu uma das casas que não queimara totalmente na Praia do Pinto, falando que só sairia de lá morta; e depois de muito barganhar, muita pressão, ela conseguiu a casa em que estamos, aqui em Nova Holanda.

Maria Amélia era, seguramente, uma mulher extraordinária: decidida, forte e polêmica, ela marcou a história do movimento comunitário de Nova Holanda. Sua atuação na criação do Grupo de Mulheres local, sua vinculação com grupos políticos de esquerda e seu pioneirismo na organização de formas coletivas de luta comunitária tiveram um peso significativo na luta dos moradores locais por melhores condições de exercício da cidadania. Nesse sentido, ela serviu de referência para várias mulheres que, posteriormente, dirigiram o movimento popular local. O seu nome "batiza", atualmente, o Posto Odontológico local e uma das salas de aula do CEASM, que conta com pessoas que participaram de sua trajetória.

O processo de formação política de Maria Amélia – que teve forte influência sobre o filho nesse aspecto – foi dramático:

Depois que descobriu, em 1977, que tinha câncer, e de quase morrer, minha mãe deu uma guinada fantástica na vida. Ela passou a estabelecer uma relação muito crítica e consciente com a vida, a fazer muitos questionamentos e organizar as pessoas que estavam a sua volta. Na época, existiam em Nova Holanda pessoas que ainda viviam o fantasma da clandestinidade. Minha mãe, depois de conhecer *As veias abertas da América Latina, Lamarca, o capitão de guerrilha*, enfim, algumas obras dessa época, surtou.

Ela ficou literalmente louca, a ponto de querer rasgar o pulso, achar que tinha alguém atrás do rádio vigiando, coisas dessa natureza. E como minha mãe é uma autoridade forte dentro de casa, foi difícil conter a loucura dela. Ela dizia "fiquem aí" e a gente ficava, minha mãe picava os documentos dela e a gente ali, olhando: "Mãe, não faz isso." Ela rasgou todas as poesias, todas as criações dela na nossa frente e a gente não fez nada, exatamente pela presença firme de sua autoridade.

A admiração de Marcos pela mãe é profunda, mesmo quando apresenta aspectos de sua trajetória aparentemente contraditórios:

Ela tinha que trabalhar, sabia que tinha optado por morar com um homem que não era o pai tradicional; então, ela procurou ser pai e mãe. Quando casou com meu pai, sabia que ele era o que a gente chamava de "vagabundo", bandido; meu pai era um sujeito que não tinha a menor interação com o trabalho, era uma pessoa viciada em bebidas e em drogas, e a pretensão da minha mãe era que, com o amor, ele se modificasse.

Já residentes na Maré, o ingresso na escola foi tardio para a grande maioria dos filhos – eram seis crianças, quatro meninas e apenas dois meninos, sendo Marcos o quarto na ordem de nascimento. Marcos explica o fato como decorrente da dificuldade de vagas no período:

Ela só conseguiu duas vagas na Escola Clotilde, e colocou Simone e Rosélia para estudar lá; a gente foi bem mais tarde. A gente veio para cá em 1969; ela só colocou a gente na escola em 1971, 72. A vaga para escola pública era muito difícil naquela época.

Diante disso, ele começou a estudar com 9 anos, enquanto as irmãs entraram ainda mais tarde. O ingresso tardio na escola fez com que um dos aspectos centrais na estratégia escolar de Marcos fosse a busca da aprovação:

Um dos poucos orgulhos que sempre tive foi de nunca ter sido reprovado em nada, sempre tive esse orgulho. Eu não ficava reprovado só porque era importante e me sentia melhor que os outros, mas porque também tinha um compromisso com a minha família de terminar os estudos. Eu não estava ali de graça; mesmo sem saber por que, eu queria terminar os estudos.

Se a preocupação maior de Marcos era escapar da reprovação, o centro da estratégia de sua mãe era garantir a frequência dos filhos à escola, das mais diversas maneiras:

Certa vez, minha mãe tinha que comprar material escolar para todos nós. Era uma boa quantidade de dinheiro. Além disso, o meu pai foi preso. No período, ela foi mandada embora do trabalho e recebeu uma indenização. O valor não era tão grande, mas para ela era muita coisa. E minha mãe tinha a seguinte opção: comprava uniforme e o material escolar para os filhos ou pagava advogado para soltar meu pai. Lembro que ela reuniu a gente na sala de casa, botou o dinheiro no chão e ficou conversando com a gente. Por fim, ela tomou a decisão de comprar o material e investir na escola.

Mas, quando garoto, eu não gostava da escola; chegava na porta e voltava. Em casa, dizia para meu pai – normalmente, minha mãe trabalhava: "Não teve aula." Quando chegava, minha mãe levantava com algum colega, descobria que havia tido aula e me enchia de porrada. Então nossa entrada na escola e a garantia de uma qualidade mínima foi um esforço de minha mãe; ela julgava a escola importante.

Marcos estudou a vida toda em escolas públicas, e conseguiu construir uma relação particular com esse espaço, tendo um visível orgulho de sua capacidade cognitiva:

Eu era uma criança superativa. Tinha uma idade avançada em relação à média, fazia todos os exercícios que a professora pedia, terminava muito rápido e depois ficava perturbando; eu falava muito. Aliás, todas as vezes que chamavam na escola era para reclamar que eu falava demais. Acontecia o seguinte: o professor fazia perguntas a um colega, em qualquer área de conhecimento, eu respondia antecipadamente; então atrapalhava a aula, impedia que as outras crianças avançassem. Fui, então, do tipo bom, mas zoneador.

A partir da 7ª, em especial, Marcos estabelece um forte vínculo com a nova escola municipal em que ingressara:

A partir da 7ª e da 8ª séries, canalizei essa hiperatividade para a música, a poesia, com o grupo que se formou na Rui Barbosa. Em 81 a gente conseguiu ganhar, na Imperatriz Leopoldinense, um Festival de Música das escolas municipais e fomos convidados a tocar na Sala Cecília Meireles. Nós tínhamos um grupo, formado apenas por gente da Maré – com exceção das meninas –, que fazia de tudo: música, teatro; éramos meio que senhores da Rui Barbosa. Lá, a própria sala de aula passou a ser prazerosa, porque dentro da escola havia uma relação de cumplicidade; os professores e a direção entraram para nossa tribo, isso porque nós passamos a ser uma referência de qualidade cultural da escola: foi com a gente que a escola ganhou pela primeira vez o festival de música e o festival de poesias; a gente passou a ser um elemento efervescente na escola. Os professores usavam dessa cumplicidade para desenvolver as matérias. As atividades foram muito mais ricas, porque eles aceitavam o acordo que a gente estabelecia.

A ida para o ensino médio provocou ansiedade e insegurança: "Eu não tinha a menor ideia do que significava sair do colégio e ir para o 2º grau. Tinha idade, mas não tinha uma perspectiva, uma preocupação com o futuro." Mesmo assim, Marcos sabia que a melhor opção de colégio, na região, era o Mendes de Moraes:

O que me fez fazer prova para o Mendes foi que todos da minha turma foram para lá. E o grupo foi para lá porque, na época, era o colégio que nós tínhamos como referência. Era aquela informação corrente que você não sabe da onde vem, mas tem sua fundamentação. Nós tínhamos o Clóvis Monteiro, mas ele não era classificado como de boa qualidade, como o Mendes de Moraes. Inclusive, para mim, era complicado ir para a Ilha, porque na época aluno tinha que pagar passagem.

Espírito rebelde, Marcos, no entanto, compreendia muito bem as regras do jogo na escola pública:

A gente ficou muito assustado, no início: tinha um muro com quase 3 metros de altura, assim como um diretor, chamado Erick – um sujeito enorme, vermelho, parecia alemão, extremamente autoritário. Eu, com meu espírito rebelde, incentivado pela escola, que me deu liberdade, fui parar num lugar como aquele! E comecei a bater de frente; mas eu tinha uma coisa positiva: cumpria as minhas obrigações. Podia contestar, brigar, mas isso não afetava meu desempenho. E depois fomos conhecendo as pessoas [...].

O fato escolar mais marcante de sua vida ocorre nesse período:

Minha mãe adoeceu e não conseguia mais trabalhar como antes. Nessa época, ela fez uma reunião com minhas irmãs e disse o seguinte: "Não dá para todo mundo ficar estudando. Rosélia e Valéria, vocês vão precisar trabalhar, por causa da idade." A Rose poderia trabalhar ou não. No meu caso, ela disse: "Vocês um dia se casarão e terão alguém para sustentar a casa; já o Marcos terá que sustentar a família; então ele precisa do estudo." Naquele momento a minha mãe fez uma seleção baseada no gênero, não no desempenho escolar. Essa seleção só se referia ao 2º grau, que era o limite.

A partir de então, quem praticamente sustentava a casa eram as minhas irmãs e meu pai, com os biscates. Os meus livros, que eram caros, quem comprava era Rosélia, que trabalhava na Importadora Guanabara. Mas não houve nenhuma rebeldia, porque a escola não era agradável; elas queriam mesmo sair da escola – é comum ainda hoje as pessoas quererem trabalhar, elas não entendem. Eu mesmo não gostava de ir para a escola, só a partir da Rui Barbosa.

Assim, a história de Marcos não corresponde àquela situação em que a família investe em um filho-trampolim, a fim de que ele possa elevar o padrão social familiar. Essa opção pela sua manutenção na escola, sem precisar compatibilizá-la com o trabalho, era fruto de uma noção mais antiga, em que a escolaridade era mais necessária ao homem – em função de seu papel futuro como chefe de família.

Marcos engajou-se nas atividades do Posto de Saúde comunitário, dirigido por pessoas às quais sua mãe era ligada. O *Postinho* foi uma iniciativa institucional – no campo da saúde e da educação – desenvolvida em Nova Holanda por profissionais da área médica e da área educacional, integrantes/simpatizantes de grupos políticos de esquerda. Ali, Marcos começou a desenvolver uma visão mais clara de sua estratégia escolar:

> A nossa consciência de futuro era muito limitada; a gente não estava na escola porque queria, era questão de obrigação – afinal, eu tinha um compromisso com a família, a minha irmã estava fazendo sacrifício para que eu ficasse estudando. E existe a questão de que "ano que vem iria fazer o quartel"; tudo na adolescência é meio fantasia, meio brincadeira; depois de passar pelo quartel é que se vira homem.

Marcos ingressou no quartel em 1984, definindo uma estratégia específica para conseguir permanecer na escola:

> Para continuar estudando, eu fiz um acordo com os colegas: "Vocês tiram o meu serviço durante a semana e eu tiro o de vocês no fim de semana." Assim, não tirava serviço durante a semana, mas em compensação ficava sábado ou domingo no quartel; era a minha maneira de continuar estudando. Eu me transferi da manhã para a noite, porque tinha que trabalhar no quartel até a hora de expediente normal, e depois ir para o Mendes de Moraes – a distância era grande. Consegui passar de ano porque sempre tive muita facilidade e tinha um amigo que me passava as coisas. Além disso, a maioria dos professores já me conhecia, eram pessoas que eu havia conquistado.

Acostumado a estabelecer uma relação dúbia – mescla de cumplicidade e pressão – com os professores, Marcos teve dificuldades com uma determinada professora; nesse caso, ficou clara a competência que desenvolvera para lidar com as nuances da instituição:

Eu estava sendo massacrado no quartel, ia ser massacrado na escola também? Comecei a bater de frente com a "dona" e ela, junto com o diretor da escola, tentou me expulsar do colégio. Ela não conseguiu me reprovar, mas me deixou em recuperação. Aí, estudei mesmo – porque senti que não era interessante bater de frente. Na recuperação, falei meia dúzia de palavras carinhosas para a "dona" e despachei.

A decisão de cursar a universidade decorreu da influência do grupo de amigos da escola:

Não fiz o vestibular direto porque tinha que organizar a minha vida, e tinha uma outra questão: o curso técnico não dava base para o vestibular, ainda mais que tinha um monte de disciplina que era só no papel. O acordo com a família terminou a partir do final do 2º grau. Eu passei a ser pressionado por minha mãe para trabalhar; ela fazia cara feia, brigava.

A questão do trabalho também foi resolvida pela mãe:

O secretário municipal de Desenvolvimento Social da época tentou, de todas as maneiras, convencer minha mãe a trabalhar na Prefeitura. Mas ela tinha consciência que ia morrer. Incrível falar isso, mas ela tinha consciência e queria organizar a vida dos filhos. Então ela deu a entender que eu estava desempregado. Fui contratado como agente comunitário, recebendo um salário mínimo e meio.

O ingresso na Prefeitura, apesar do baixo salário, permitiu que Marcos se colocasse de forma mais efetiva diante da perspectiva de fazer o curso universitário. A definição pelo curso de História decorreu mais da identidade com a postura adotada por determinados professores do que por algum projeto profissional-acadêmico amadurecido. Estudando por conta própria, Marcos revelava um capital informacional bastante reduzido, o que causou dificuldades, inicialmente, em seu ingresso: ele não conseguia distinguir as universidades públicas das privadas. De qualquer forma, ele se tornou aluno do curso de História da UFRJ; e ali, Marcos teve maior noção das limitações em sua formação:

> E, de uma hora para outra, eu era aluno da UFRJ, lugar de tradição, incríveis alunos, politizados, ligados à UNE.[36] Eu olhava para as pessoas e pensava: "O que estou fazendo aqui?" Como se não bastasse, descobri minha grande deficiência. Porque me julgava muito capaz, mas não sabia, de fato, ler: "O que é fichamento? O que é fazer resumo? O que é discutir?" Eu superava a escola pública com os braços amarrados nas costas. Mas lá eu não lia, o processo de alienação era muito alto, e não era só eu, era todo o grupo. Assim, tive muita dificuldade no primeiro semestre da faculdade.

De qualquer forma, rapidamente Marcos compreendeu as regras do jogo e, a partir daí, o curso ficou bem mais fácil, apesar das dificuldades para garantir uma maior inserção:

> Terminei também fazendo a faculdade com a mão amarrada nas costas. Descobri que a vaidade pessoal dos professores universitários é muito forte; então aquilo que eu fazia no 2º grau fiz também na faculdade: entrava na tribo do professor e estabelecia a discussão que eu queria, que achava importante. Como sempre fui muito crítico e muito ligado, sempre discutia e lia o necessário. Fiz as

---

[36] UNE – União Nacional dos Estudantes.

disciplinas necessárias, as chamadas obrigatórias; fiz poucas fora, porque não tinha tempo. Mas nunca me senti em casa no IFCS;[37] não gostava do ambiente. Não podia entrar na faculdade por completo, porque entrar na faculdade seria ter tempo, e eu não gostava do ambiente.

Atualmente, Marcos é professor da rede municipal e da rede estadual do Rio de Janeiro. Apesar do baixo salário, um austero padrão de exigência socioeconômica faz com que seu cotidiano seja equilibrado financeiramente. Sua esposa, ignorando seus protestos, nunca admitiu trabalhar profissionalmente.

Após a entrevista, tive a oportunidade de convidá-lo para ingressar no CEASM. Em 1999 ele assumiu algumas turmas de história no pré-vestibular e envolveu-se, inicialmente, com a Rede de Memória – programa da entidade que objetiva registrar/produzir a história local. Nesse breve período, chamou atenção sua profunda dedicação a esse trabalho, assim como a satisfação dos alunos com suas aulas.

Pedro Paulo – Parque Maré

Pedro Paulo é uma das figuras mais expressivas da Maré. Negro, 42 anos – impossível perceber na face jovial, sorridente e educada –, ele se arruma de modo formal, priorizando um estilo de roupa *social*. Meu interesse em entrevistá-lo decorreu, em primeiro lugar, da importância concedida a ele por Ana em sua trajetória escolar. Além disso, já conhecia sua fama de ter ajudado várias pessoas a estudar matemática. Sabia também da sua atuação como presidente da Associação do Parque Maré, mas só tive oportunidade de conhe-

---

[37] IFCS – Instituto de Filosofia e Ciências Sociais da Universidade Federal do Rio de Janeiro.

cê-lo a partir do início dos encontros para a formação do CPV-Maré.

Fomos nos aproximando nesse processo, de forma gradativa, diante de seu grande número de atividades profissionais. A entrevista foi feita em um domingo, pela manhã. Lá chegando, havia cervejas me esperando, que ficaram de ser tomadas ao final da conversa. Na casa estavam sua esposa, Rosimeri, e seu único filho, com pouco mais de 8 anos. A casa de Pedro Paulo é a que tem a melhor aparência da rua, se caracterizando pela arrumação e pela ordenação – em que pese o perfil mais popular, distinto do expresso na casa de Ana, Lia e Cláudio.

Pedro Paulo é o filho do meio, em uma família com quatro filhos – todos homens. Nossa conversa transcorre leve, com o relato de suas lembranças e seus valores, o significado dos contatos com diferentes pessoas – desde amigos que se tornaram bandidos até membros das camadas médias e altas. Pedro Paulo fala de sua amizade, desde criança, com Jorge Negão. Ele destaca o respeito de Jorge por sua mãe e o fato de nunca haver oferecido drogas a ele. Fica nítida a consciência aguçada de Pedro sobre a forma de se relacionar com os diferentes grupos sociais. Essa capacidade de relacionamento vai se revelar como um fator fundamental em sua trajetória escolar.

Seu relato começa pelas imensas dificuldades financeiras de sua família, agravadas pelo colapso nervoso do pai – que resultou em sua internação em um hospital psiquiátrico. Naquele momento, sua mãe foi o principal esteio da família, trabalhando fora como doméstica e contando com o apoio de uma velha amiga na criação dos filhos. Após a recuperação, seu pai trabalhou, durante trinta anos, na UFRJ, tendo começado como faxineiro e se aposentado como auxiliar de laboratório.

A mãe, que continuou a trabalhar mesmo após a recuperação do marido, é citada como uma mulher de forte personalidade, a verdadeira liderança da família, com características semelhantes às da mãe de Cláudio. Ligada à Umbanda – o avô de Pedro Paulo fazia rezas, benzia e participava ativamente da religião –, a mãe é uma figura muito respeitada na comunidade, sendo sua casa um espaço de solidariedade e de muita circulação de pessoas, as mais variadas.

Ela tem uma relação com Pedro Paulo intensa, dividindo com ele a responsabilidade pela direção da rede familiar: "A liderança da família sempre foi minha; sempre tive amizade com todo mundo, com os colegas da rua, estudei sempre um pouco mais e até hoje a palavra final é sempre minha." Essa responsabilidade se expressa, de forma particular, no acompanhamento escolar e profissional dos sobrinhos, que recorrem a ele em busca de orientação e de apoio financeiro para suas atividades. O dado mais destacado no relato é a ênfase concedida por Paulo à educação recebida de seus pais, aos fortes valores morais deles e seu compromisso profundo em manter os filhos no caminho do bem. "Saber me comportar, saber respeitar os outros é a herança mais importante que recebi dos meus pais."

Com efeito, o *investimento social* é um elemento fundamental na trajetória escolar e profissional de Pedro Paulo. Ao contrário de outras famílias, que temiam as más influências e prendiam os meninos, Paulo e os irmão foram preparados, cotidianamente, para aprender a se relacionar com todos, independentemente da condição social. Assim, manifesta-se a utilização de um tipo de estratégia centrada nas relações sociais e na postura educada, afável, que Paulo desenvolveu de forma mais intensa que os outros irmãos.

No que concerne ao capital escolar, sua fala não demonstra que os pais tenham feito o mesmo investimento.

Seu pai era mais ausente da dinâmica cotidiana familiar e, aparentemente, sua mãe nunca priorizou a escolarização dos filhos:

> Nós tivemos um retardamento muito grande em nossa vida escolar, em função da mudança de Nilópolis para cá. Minha mãe nunca se envolveu muito, ela só ia para assinar o documento quando era necessário. A gente é que ia lá e encontrava a vaga.

Além disso, a falta de tempo e de formação dos seus pais dificultava o acompanhamento da vida escolar dos filhos, que nunca tiveram *explicadora*.

Pedro Paulo foi o único a investir na escola, enquanto os irmãos optaram, de acordo com ele, por trabalhar cedo – o mais velho, a partir dos 14 anos – e/ou sair da escola precocemente. Assim, ele pôde ficar só estudando até entrar na universidade: "Meu pai me deu a oportunidade de estudar e nunca me obrigou a trabalhar. Foi o que mais chorou quando passei no vestibular, mais do que eu."

Ele sempre foi um aluno regular, nunca tendo se destacado de forma especial em nenhuma disciplina, e estudou durante a maior parte de sua vida escolar à noite. Além disso, "não tinha paciência de ler nem gibi" e, durante muitos anos, teve a expectativa de ser jogador de futebol, projeto estimulado pela família. O que pesou, na verdade, para a conquista dessas condições favoráveis ao estudo foi a grande identificação entre as disposições produtoras do comportamento social do filho do meio e as de seu pai.

Essas disposições – o saber se comportar em qualquer situação, principalmente diante dos superiores hierárquicos – resultaram em uma maior consonância com os padrões escolares: "Nunca desrespeitei, nunca disse um 'não' para a professora em sala de aula; nunca minha mãe teve um bilhete dizendo que o filho foi bagunceiro em sala de aula, nenhum de nós." O fato de desenvolver de forma mais acentuada, dentre os irmãos, essas disposições foi decisivo para que Pedro Paulo tivesse uma oportunidade que os irmãos não tiveram ou quiseram:

> Sempre fui uma pessoa calma, moderada. Fui a menina que minha mãe não teve, quer dizer, eu lavo, passo, faço tudo. Meu pai me ensinou a ser muito comedido, ele também sempre foi muito doce, incapaz de dizer "não" a alguém.

Diante disso, o pai teve oportunidade, através de seu chefe imediato na UFRJ, de conseguir para Pedro Paulo uma bolsa de estudos, a partir da 6ª série, em uma escola privada que atende um público das camadas médias, da qual aquele era diretor. Nessa instituição, onde ingressou com 18 anos, ele fez o restante do ensino fundamental e todo o ensino médio, com bolsa integral. Para a permanência na escola pesou o fato de ele buscá-la com mais intensidade que seus irmãos. A influência de uma professora na 4ª série é apontada como um fator importante para isso. Na verdade, Pedro Paulo estabeleceu com ela um tipo de contato que viria a caracterizar muitas das suas relações escolares e profissionais futuras: o auxílio de determinadas pessoas para a consecução de objetivos delimitados.

Assim, a ausência de apoio pedagógico familiar era compensada pela facilidade de Pedro Paulo em encontrar e se relacionar com pessoas que se *responsabilizassem* por ele. De fato, ele é o agente que mais ressalta a importância da relação com determinadas pessoas para a consecução de seus objetivos: a professora da 4ª série, educadora da escola pública na qual ele fez o supletivo: "Ela era uma mãe para nós, alunos"; o diretor do colégio, chefe de seu pai no Fundão – que lhe conseguia alguns materiais escolares; o professor de matemática da 8ª série; o professor de física do ensino médio, o que mais o marcou no plano pedagógico; e, posteriormente, sua chefe no MEC[38] – depois, madrinha de casamento –, órgão onde conseguiu ingressar justamente em função dessas disposições comportamentais.

As limitações de ordem financeira e pedagógica eram, então, enfrentadas via uma aguda inteligência institucional. A competência em sobreviver nas instituições era centrada no estabelecimento de uma relação empática com as pessoas com as quais Pedro Paulo lidava, no plano escolar e/ou profissional. Isso resultava na maior boa vontade delas com suas dificuldades fortuitas, assim como no apoio material para sua superação, quando era o caso. Essa postura gerava uma atitude de aparente subordinação às relações institucionais estabelecidas e de concordância explícita com as relações de poder existentes.

Aliada ao uso dessa estratégia, destaca-se a consciência pragmática de Pedro Paulo. Ele não tem nenhum constrangimento em afirmar que, apesar de testes vocacionais terem apontado uma maior inclinação para a área humana – administração especialmente –, não teve dúvida em fazer o vestibular para Física, tendo em vista a baixa correlação candidato/vaga. Apenas após iniciar a faculdade ele atentou para as pequenas possibilidades profissionais oferecidas pelo curso. Pedro Paulo passou pela experiência de ficar reprovado várias vezes em algumas disciplinas, principalmente cálculo e informática, além de assistir à desistência de vários amigos, insatisfeitos e/ou incapazes de acompanhar o curso.

Na verdade, seu projeto maior não era o ingresso na universidade, mas sim o ingresso na carreira militar: fez

---

[38] MEC – Ministério da Educação.

prova para a ESPECEX[39] e para a EFOMM,[40] mas não conseguiu aprovação; fez também prova para o CPOR, e tem certeza de que foi aprovado, mas não classificado, sugerindo ter sofrido discriminação racial.

A universidade foi fruto de uma contingência: não tendo sido aprovado no Curso para Oficiais do Exército, a universidade se tornou uma alternativa para ele não ingressar, compulsoriamente, como soldado. A opção pelo curso superior era tão secundária diante de suas necessidades nesse período que, já na universidade, Pedro Paulo fez uma prova para operador de refinaria, tendo sido aprovado na primeira fase e eliminado na segunda; de acordo com o psicólogo que o avaliou, sua qualificação escolar era muito acima da exigida para o cargo. Nesse caso, o emprego se tornaria um simples *trampolim*, o que não interessava à empresa. Assim, apesar de seus protestos, ele não conseguiu ingressar na Petrobras, o que foi, inicialmente, uma fonte de grande decepção.

Naquele contexto, seu objetivo maior no curso de Física era a conquista do diploma de licenciatura, que ele obteve após oito anos de curso. O longo período foi resultante, segundo Pedro Paulo, do fato de não estudar além do que aprendia na sala de aula e da garantia, desde o 2º semestre, de uma bolsa-trabalho e uma bolsa-alimentação. Posteriormente, outro professor o convidou para ser monitor de uma disciplina introdutória, tendo em vista que ele "não faltava, sempre chegava cedo e enfrentava muitas dificuldades". As bolsas iniciais foram adquiridas através de solicitações reiteradas ao serviço de assistência ao estudante da

---

[39] Escola Preparatória de Cadetes do Exército, com nível correspondente ao ensino médio, que preparava para a Academia Militar de Agulhas Negras.

[40] Escola de Formação de Oficiais da Marinha Mercante.

universidade: "A assistente social sabia da minha condição, da minha situação. Eu era o único aluno que era conhecido na universidade inteira."

A partir dos contatos estabelecidos na universidade por meio da bolsa-trabalho, Pedro Paulo conseguiu ser indicado para um estágio no MEC, quando estava no 6º período. Ali, "as pessoas o adotaram como um filho"; esses vínculos, aliados à sua dedicação, contribuíram para sua posterior efetivação em um cargo de nível médio. Ele ocupava, no momento da entrevista, o cargo de chefe da administração, o terceiro em importância no organograma do setor onde era lotado. Esse emprego administrativo, sua principal fonte de renda, é complementado pelo trabalho como professor de matemática – ele não ministra aulas de física, visto que, durante muitos anos, já a partir do ensino médio, começara a trabalhar como *explicador* de matemática, principalmente para alunos da Maré, mas também, em escala menor, para alunos da Tijuca e da Zona Sul da cidade.

Na mesma linha, o trabalho desenvolvido por Rosimeri, auxiliar de escritório, foi conseguido por Pedro Paulo através de um colega do MEC, assim como a conquista de cursos e bolsas de estudos para os sobrinhos. O contraditório de sua posição subordinada no plano das relações institucionais se expressa em dois aspectos, que se interligam: a consciência da negritude e sua preocupação com as ações coletivas. Com efeito, no plano da consciência negra, Pedro Paulo assume um discurso combativo que destoa tanto da estratégia utilizada para a consecução de seus objetivos escolares e profissionais como do estilo risonho e aparentemente despreocupado que o caracteriza. Influenciado, no início da universidade, pelo movimento organizado naquele espaço, passou a defender a necessidade de os negros se organizarem para melhorar suas condições.

Descrente do movimento negro universitário – diante da consideração de que ele era elitista e dissociado das condições vividas pelos negros dos espaços populares –, Pedro Paulo termina por se ligar ao PDT, passando a atuar nas atividades do partido na comunidade. Numa atitude que proclama como de resistência, nos dias 13 de maio, dia da Abolição da escravatura, e 20 de novembro, dia da Consciência Negra, Pedro Paulo faz questão de usar uma touca rastafári como expressão de sua consciência e seu compromisso. Para afirmar essa atitude, já enfrentou a oposição de diretoras de escola – prática que destoa de suas estratégias sociais tradicionais.

Em 1994, Pedro Paulo se elegeu presidente da Associação de Moradores do Parque Maré, tendo como bandeira maior a questão educacional. Nesse período, tentou criar um curso pré-vestibular comunitário, que não durou mais que alguns meses. Ele considera que não tinha a experiência, a articulação e a prática coletiva presentes na criação do CEASM, projeto no qual se engajou desde o início.

Apesar da evidente diferenciação entre a sua trajetória socioescolar e a dos irmãos – já que esses tiveram uma experiência de vida mais circunscrita aos espaços sociais populares –, Pedro Paulo manifesta, ao contrário de todos os outros entrevistados, um sentimento de extrema identidade cultural com a favela, sua família, a população local, sua etnia e seus laços populares. Essa opção é demonstrada, dentre outras coisas, pela fidelidade cotidiana ao jornal *O Dia*; pela naturalidade com que fala que o seu pai foi curado do problema psiquiátrico após a ida a um Centro Espírita ("ele botou um bife para fora e depois disso ficou melhor"); pelo orgulho em falar da sua condição de morador da Maré ("sempre mostrei que era favelado; a única coisa que nunca escondi das pessoas é que sou favelado e tenho uma índole incrível, uma moral inabalável").

O casamento com Rosimeri é um dado particular no que concerne ao compromisso com seu grupo social de origem. Com efeito, para realizá-lo, ele enfrentou a oposição de sua mãe, que questionava a falta de estrutura familiar da moça e sua condição, com nuances, de *doméstica*. Cabe assinalar que Pedro Paulo só se casou próximo aos 30 anos – idade tardia para jovens dos meios populares, mas que o identifica com praticamente todos os outros entrevistados. Sua mulher é muito lembrada em sua fala; ele a responsabiliza pela "organização" de sua vida e valoriza sua personalidade decidida e *batalhadora*.

Por fim, caracteriza o casal a defesa de uma estratégia de reprodução centrada no investimento em um só filho. A posição foi assumida de modo tão decidido por ela que o marido terminou por sublimar o seu desejo de possuir uma família maior. De fato, o projeto de "dar tudo que não teve para o filho", como diz Pedro Paulo, acompanha de modo permanente sua esposa, sendo também assumido por ele.

A criação de *Paulinho* cumpre um esquema que, aparentemente, reproduz as práticas efetivadas pelos pais de Pedro Paulo: a mãe cumpre um papel educador, sendo inclusive responsável pelas ações coercitivas, enquanto cabe ao pai o papel de companheiro e responsável pelo lazer da criança. Corroborando essa impressão, após minha saída Pedro foi para o Maracanã, com o filho, assistir a um jogo do Botafogo, uma de suas paixões. Enquanto isso, fui pensando sobre como aquele encontro havia sido importante para mostrar-me a pluralidade de valorações e estratégias que se faziam presentes nas caminhadas escolares.

Análise das caminhadas

Redes familiares

Oriundos, em sua maioria, do interior do Nordeste – apenas quatro famílias são do Sudeste, sendo que apenas a de Marcos é da cidade do Rio de Janeiro –, os pais dos entrevistados têm como principal característica a posição subordinada no campo das classes sociais. A posição social de uma pessoa, no entanto, só pode ser demarcada a partir de uma perspectiva relacional, levando-se em conta os diferentes campos sociais nos quais ela se insere. Quando consideramos, por exemplo, o espaço da Maré, as famílias assumem posições diferenciadas. Os pais de Hélcio, Cláudio, Lurdes e Lia tinham uma posição econômica superior; a mãe de Marcos estava em uma posição dominante no campo político comunitário; as famílias de Pedro Paulo, de Márcia e também de Cláudio assumiam uma posição dominante nas atividades sociais e/ou religiosas do campo familiar e na vizinhança; a família de Hélcio e a mãe de Lurdes tinham uma posição superior no campo religioso local.

Dentre a totalidade de pais – 22 –, apenas o pai de Lúcio concluiu o ensino médio, enquanto o pai de Cláudio realizou um curso técnico, correspondente ao antigo ginasial. Por outro lado, apenas duas mães e um pai eram analfabetos, apesar de não ser habitual o recurso à escrita na ordenação das tarefas cotidianas. Da mesma forma, os pais, em geral, não tinham o hábito de ler, com exceção da mãe de Marcos. Alguns pais desenvolveram o hábito da leitura depois de os filhos terem crescido – principalmente livros de orientação religiosa. Incluem-se nesse caso a mãe de Carmem, a de Ana e o pai de Hélcio.

A compra de livros para os filhos não era prática comum, circulando na casa, normalmente, apenas os livros escolares. No que concerne ao acesso, na infância, a outros produtos culturais – tais como cinema, *shows* infantis, teatro, circo e similares –, apenas Cláudio e, em menor escala, Márcia o tiveram, assim mesmo a partir do contato com tios que moravam em áreas externas à favela. Lia, por seu turno, teve acesso a um curso de inglês, mas essa oportunidade foi concedida apenas a ela na família. Com isso, fica evidenciada uma vida cotidiana infantil localizada no espaço local, com poucas incursões a outros espaços da cidade.

Na adolescência, a aquisição do conhecimento escolar e a inserção em novas redes sociais, diferenciadas do campo familiar, permitiram a alguns filhos uma abertura gradativa das referências culturais, o acesso a outros espaços da cidade e, em especial – a partir da seleção da escola do ensino médio –, a responsabilidade pessoal pelas escolhas efetivadas em sua caminhada escolar.

A posição subordinada no campo cultural gerou um comportamento dos pais em relação à vida escolar dos filhos passível de definir-se como *logístico*, em que se garantia a base material: casa, moradia, transporte e produtos escolares; o acompanhamento pedagógico antes do ingresso na escola, via *explicadora*; e o cumprimento das exigências escolares básicas. Nesse tipo de intervenção, o acompanhamento pedagógico das atividades escolares e a participação regular em reuniões não eram considerados prioritários, até porque os pais não se sentiam competentes para o encaminhamento dessas iniciativas.

No plano profissional, praticamente todos os pais trabalhavam em ocupações manuais. Apenas o pai de Cláudio tinha uma função técnica. A atuação mais comum era em serviços de manutenção ou na construção civil. Já as mães, em geral, eram ou se tornaram donas de casa após o nascimento dos filhos. Dentre as que trabalhavam fora, três eram domésticas e uma era operária. A responsabilidade materna pela criação dos filhos, ao lado do juízo – comum na infância dos entrevistados – de que era uma vergonha, para o marido, a mulher trabalhar fora, fazia com que coubesse ao homem o papel, por excelência, de provedor da família. As poucas mães que trabalhavam fora o faziam, em geral, em função da falta do marido ou quando este – pela falta de interesse ou por doença – não cumpria, na plenitude, as suas *obrigações*. Todas as mulheres, no entanto, tomavam iniciativas para complementar a renda familiar – lavando roupa para algum vizinho e/ou vendendo determinados produtos – e/ou tomavam medidas básicas de economia, como costurar as roupas das crianças, dentre outras iniciativas.

A presença cotidiana das mães no seio familiar, principalmente quando aliada a uma forte personalidade, contribuiu para que elas se tornassem as principais artífices da trajetória escolar dos filhos – fato já verificado em inúmeras pesquisas. Porém, a base material desse apoio era fornecida, em geral, pelo pai. Assim, havia, aparentemente, uma clara divisão dos papéis, cabendo à mãe as responsabilidades diretamente relacionadas à atividade escolar: preparar o material escolar, conduzir a criança à escola, participar das reuniões, conseguir a *explicadora* e atividades análogas.

Diante disso, na maioria das famílias, a presença masculina foi pouco significativa na trajetória escolar dos filhos. Entretanto, em alguns casos – Pedro Paulo, Carmem e Hélcio –, a figura paterna foi mais valorizada nos relatos. No caso do primeiro, em função de o pai ter conseguido uma bolsa de estudos que lhe permitiu fazer o ensino fundamental e o médio em uma escola privada. No caso de

Carmem, cabiam ao pai o acompanhamento da vida escolar e a maior cobrança de resultados. Por fim, na família de Hélcio, a escola era percebida como um elemento do mundo *externo* – em oposição ao mundo *da casa* –, cabendo ao pai conduzir os filhos à escola e definir as possibilidades de apoio às suas escolhas, principalmente no que concerne ao ensino superior. Da mesma forma, Lúcio, embora não convivesse com o pai no cotidiano, sofreu sua influência indireta, que se expressou na elaboração de uma forte crítica ao espaço da Maré e na correspondente valorização do Rio Grande do Norte. Sua curta vivência naquele espaço, inclusive, definiu sua primeira opção universitária.

Outro aspecto comum entre os pais dos entrevistados era a baixa inserção nas atividades coletivas locais: com exceção da mãe de Marcos e do pai de Lia – envolvidos com a Associação de Moradores –, nenhum dos outros tinha participação nas entidades locais, a não ser com a Igreja Católica, frequentada pela maioria. Mesmo nessa instituição, apenas os pais de Hélcio e a mãe de Lurdes participavam das atividades pastorais realizadas. Os outros pais tinham uma vida orientada pelo trabalho doméstico ou profissional e pelo contato com a vizinhança.

O fato mais singular das famílias dos entrevistados é o desempenho escolar dos filhos. Dentre os 49 – 30 mulheres e 19 homens –, 25 ingressaram na universidade, pouco mais de 50%. De acordo com o Censo de 1991, apenas 0,53% dos moradores da Maré possuíam o curso superior, enquanto o percentual da cidade do Rio de Janeiro era de 16,7%. No caso das famílias selecionadas, vinte jovens concluíram a graduação, três ainda estavam fazendo o curso superior na época da entrevista e dois tinham abandonado a faculdade, mas retornaram.

A universidade pública foi perseguida pela grande maioria dos jovens em função, principalmente, de sua gratuidade: dezoito nela ingressaram, enquanto apenas sete foram para faculdades particulares. Nove dos entrevistados estudaram em universidades públicas, e dois, em particulares. Por outro lado, dentre os 24 irmãos que não tinham ingressado no ensino superior, apenas uma – a irmã caçula de Lúcio – se preparava para fazer o vestibular, estando em fase de conclusão do ensino médio.

Traços comuns

Origem nordestina, pele clara, primogênito, solteiro ou casado tardiamente, ingresso no mercado de trabalho após a conclusão do ensino médio e funcionário público. Esse é, *grosso modo*, o perfil dos entrevistados. Eles nasceram entre 1956 e 1967, sendo que cinco nasceram em 1964. Oito são brancos e apenas três são negros. A condição de primogênito e o casamento tardio são outros traços que aproximam os entrevistados: nas onze famílias, nove primogênitos concluíram o nível superior enquanto apenas quatro caçulas conseguiram fazê-lo.

Na maioria das famílias, os caçulas tinham um grau de responsabilidade menor na estrutura familiar e uma maior liberdade para circular no "mundo da rua". Os primogênitos, por seu turno, reuniam alguns *privilégios* que favoreciam a conquista de uma posição influente no campo familiar. Eles tinham certa autoridade em relação aos irmãos mais novos; possuíam, em geral, um maior espaço físico no domicílio; estabeleciam uma relação mais intensa com, pelo menos, um dos pais e com alguns parentes – em particular, tios e avós –; e participavam mais das questões domésticas.

A posição dos primogênitos implicava a absorção de maiores responsabilidades cotidianas no espaço doméstico: manutenção da casa, cuidados com os irmãos mais novos e substituição dos pais em algumas atividades, principalmente no campo escolar. Houve situações em que o primogênito, em função das grandes dificuldades financeiras familiares e/ou de sua identidade com o campo da vizinhança, começou a trabalhar muito cedo, como foi o caso dos irmãos de Ana e Pedro Paulo. O fato contribuiu para que permanecessem menos tempo na escola, em relação ao conjunto dos irmãos.

O caso de vários irmãos de entrevistados que saíram precocemente da escola demonstra a importância de superar a visão estigmatizante que se tornou comum em relação à instituição escolar, em particular a pública. A diferença de desempenho entre os primogênitos e os caçulas, por exemplo, evidencia que as posições diferenciadas ocupadas pelos filhos na família é um fator que deve ser levado em conta na análise dos vínculos entre os setores populares e a escola. No caso das famílias dos jovens entrevistados, a progressiva inserção da família na comunidade contribuía para um menor controle, por parte dos pais, da movimentação dos filhos mais novos. A posição no campo familiar e a inserção prioritária no "mundo da rua" ou da escola favoreceram o desenvolvimento de disposições e *interesses* diferenciados. A menor consonância entre as disposições adquiridas no campo da vizinhança e aquelas necessárias para o campo escolar limitou a inserção e o desenvolvimento da grande maioria dos caçulas na instituição. Assim, dentre os jovens das famílias pesquisadas, os mais inclinados a sair da escola foram aqueles inseridos em redes sociais onde as estratégias escolares de médio prazo, pelo menos, não eram valorizadas como a principal forma de reprodução social e/ou os que se *interessaram* prioritariamente por campos alternativos.

No que concerne aos irmãos de vários entrevistados – os de Ana, de Pedro Paulo e de Marcos, por exemplo –, o investimento no campo profissional se articulava de forma direta com a forte inserção na vizinhança. A situação gerava, em um primeiro momento, a melhoria da posição no campo familiar e o aumento do grau de autonomia para encaminharem as estratégias sociais que passaram a desenvolver. Com efeito, o ingresso precoce no mercado de trabalho, por exemplo, traz para o filho uma série de ganhos imediatos. Estes são fortemente atrativos quando comparados ao longo prazo de investimento na escolarização. Em diversos casos, filhos que não foram pressionados pelos pais e/ou que tinham um razoável desempenho escolar optaram por sair da escola a fim de conseguir vantagens mais imediatas nos campos sociais que priorizaram. Essas estratégias são colocadas em questão, na maioria das vezes, apenas nos casos em que o irmão universitário alcança uma maior posição social, pela acumulação de maior capital econômico e/ou de capital simbólico.

O celibato ou o casamento tardio é outro elemento característico no perfil dos entrevistados. Os jovens dos setores populares costumam se casar e/ou se tornarem pais bem jovens. No caso dos entrevistados, apenas dois tiveram essa experiência. A crença em que a manutenção de um curso superior era incompatível com as responsabilidades da vida de casado foi o fator mais apontado para o adiamento ou a não realização do casamento. O posicionamento chegou a levar a uma interrupção de gravidez, visto que ela levaria, com base nas experiências locais, ao bloqueio do projeto escolar/profissional. Afirmava-se assim uma dicotomia entre as duas estratégias de reprodução social.

Com relação ao ingresso no mercado de trabalho, a maioria o fez após a conclusão do ensino médio, fenômeno raro entre os estudantes de origem popular. Por outro lado, todos trabalharam, das mais variadas maneiras, durante a universidade. O suprimento das necessidades fundamentais – casa, comida e, no limite, dinheiro da passagem – era o máximo que a família, em geral, podia ou aceitava oferecer. Diante disso, os jovens criaram meios autônomos para realizar o curso: conseguir um trabalho formal, buscar estágios/bolsas e/ou contar com o auxílio de amigos/outros parentes na aquisição de materiais didáticos, dentre outras coisas.

O ingresso no ensino superior gerava uma situação ambígua na família dos estudantes. Por um lado, os pais não vislumbravam uma permanência escolar tão prolongada. O ingresso na faculdade provocava, então, uma forte satisfação pela condição atingida pelo filho. Além disso, a entrada de um filho na universidade abria o campo educacional para os outros irmãos, em particular os mais novos. Eles passavam, então, a ter referências mais concretas para desenvolver estratégias de longa escolarização. Por outro lado, os pais não entendiam ter, em relação ao ensino superior, a responsabilidade afirmada durante o ensino fundamental e o médio. Além disso, as exigências e relações institucionais estabelecidas no campo universitário eram, comumente, muito distantes de sua realidade. Os pais, então, não estabeleciam nenhum tipo de relação com a nova experiência escolar do filho.

Acima de tudo, o juízo dominante na família era de que os filhos universitários já estavam em uma fase da vida na qual lhes caberia, mais do que estar estudando, auxiliar na estrutura material da casa e mesmo na sua direção. Juízo este, aliás, afirmado pelos próprios filhos. Assim, a busca de alternativas individuais para a sustentação do curso universitário parecia natural a todos os entrevistados. Afinal, admitir permanecer sob a responsabilidade financeira dos pais durante a graduação iria contra, justamente, algumas disposições que foram importantes para a conquista da condição de universitário: a valorização da iniciativa pessoal, a responsabilidade com o destino pessoal e familiar e a exigência de que a manutenção da estrutura familiar fosse assumida por todos os integrantes da família.

Alguns jovens já possuíam, antes do ingresso no ensino superior, um alto grau de autonomia financeira e pessoal em suas vidas, o que também dificultava que se (re)colocassem sob a dependência da família. O fato é explicado em função de a grande maioria ter ingressado na universidade a partir dos 22 anos de idade, característica comum dos universitários oriundos da Maré. A perda de anos na escola ocorreu – mais do que em função da reprovação formal – em virtude do ingresso tardio no sistema educacional, das transferências de unidade escolar e/ou da dificuldade em ingressar, imediatamente após o ensino médio, no ensino superior. Sete dos entrevistados fizeram o vestibular duas vezes, pelo menos, até ingressarem no curso e/ou na instituição desejada.

A dificuldade para ingressar na faculdade decorreria de uma alegada ausência do que pode ser denominado *capital informacional*. Os alunos, no período de realização do vestibular, não teriam informações básicas sobre os cursos e as instituições, assim como uma adequada compreensão das características do sistema vestibular e da própria universidade, em particular no âmbito financeiro. Alguns alegam, por exemplo, ter colocado como primeira opção uma faculdade privada, deixando a pública em segundo lugar, mesmo sem reunir as condições financeiras para cursá-la.

As limitações econômicas estreitaram, em geral, o tempo dedicado aos estudos e ao desenvolvimento de uma formação abrangente e suplementar ao curso realizado. Com isso, a maioria dos entrevistados considerou que fez um curso aquém de suas possibilidades cognitivas e de suas necessidades profissionais – principalmente considerando-se, em geral, as debilidades na sua formação escolar.

Uma característica comum a todos os entrevistados é a condição de funcionário público. Oito trabalham em ofícios de nível superior e três em cargos de nível médio. A condição profissional manifestou-se, na maioria dos casos, como meta, sendo posterior à graduação. Mas, em alguns, ela antecedeu e motivou o ingresso no curso superior. Marcos e Márcia, por exemplo, ambicionavam, dentre outras coisas, uma ascensão profissional a partir da titulação universitária. As dificuldades em construir uma carreira como profissional liberal ou na iniciativa privada, além da busca de certa estabilidade financeira – depois de anos de sacrifícios –, transformavam o serviço público em um *porto seguro*. Nele se garantiam certo *status* socioprofissional e uma remuneração básica estável.

O ingresso no funcionalismo podia ser alcançado com um instrumento burocrático – na perspectiva weberiana – como o concurso, ou através de contatos localizados no poder público. O ingresso via *indicação* ocorreu, principalmente, na Prefeitura do Rio de Janeiro, na década de 1980. Nesse período, sob a gestão do PDT, o governo municipal ampliou a intervenção nas favelas cariocas e seu quadro de pessoal. Dentre os agentes entrevistados, cinco ingressaram no serviço público via concurso e seis ingressaram via *indicação*, sendo três na Prefeitura, dois no serviço público federal e um na Cedae – Companhia Estadual de Águas e Esgotos.

O ingresso no serviço público foi um dos aspectos mais reveladores da estratégia escolar e profissional desenvolvida pelos entrevistados. A busca de uma posição profissional mais valorizada socialmente e, em geral, mais bem remunerada, como a de profissional liberal, não foi priorizada por nenhum deles. Apesar da presença de profissões como as de advogado, engenheiro e psicólogo, todos afirmaram não contar com o capital social e econômico necessário para a empreitada. No caso, a estratégia de construção do futuro subjetivo se conformava às possibilidades objetivas que julgavam possuir. Além disso, as necessidades materiais presentes na rede familiar contribuíam para a busca de alternativas profissionais que oferecessem um retorno financeiro mais imediato. A investida em novos investimentos, necessários para a consecução de possibilidades profissionais mais abrangentes, não seria viável e/ou compreendida na família.

Assim, os jovens estabeleciam um campo de possibilidades que, embora sendo mais amplo do que o da maioria dos moradores dos espaços populares, tinha limites reais, originados de suas experiências, seus recursos e representações. A inserção em determinado campo, acadêmico e/ou profissional, foi considerada como o ponto máximo nos seus horizontes sociais, tendo em vista os recursos – financeiros, culturais e sociais – que conseguiram até então acumular. Além disso, nos espaços universitário e profissional as relações prioritárias eram firmadas, em geral, com trabalhadores assalariados qualificados. Elas tinham em comum, em geral, o fato de terem atingido uma posição de distinção satisfatória nas redes familiares e da vizinhança de origem.

A ligação, em níveis e momentos variados, com instituições sociais locais e/ou a vivência universitária contribuíram para a construção de uma identidade política de esquerda. Ela se materializou na opção pelo PT – principal partido de oposição do país e com forte presença, no Rio de Janeiro, dos trabalhadores das camadas médias. Com efeito, dentre os onze entrevistados, oito se identificavam exclusivamente com o PT, dois com o PT e o PDT, e apenas um, Hélcio, identificava-se como social-democrata.

A identidade política com partidos *de esquerda*, todavia, não se expressou em um maior engajamento: nenhum se envolveu de forma efetiva no movimento estudantil ou no campo sindical, com exceção de Lia, que atuou por um breve período em sua associação profissional. No campo partidário propriamente dito, Pedro Paulo teve um maior envolvimento com o PDT, enquanto Cláudio e Carmem tiveram ligações pontuais com o PT, mas nunca em instâncias externas à Maré.

Já no campo político comunitário, o engajamento foi bem maior: cinco dos entrevistados participaram, de forma intensa, da Associação de Moradores de sua comunidade. A intervenção centrada no espaço local caracterizou, também, os jovens que atuaram na Igreja Católica. Apenas Carmem teve uma participação institucional além da Maré. O motivo alegado para a limitação do espaço de atuação era a pouca disponibilidade de tempo para o envolvimento com instâncias ou instituições externas. De fato, a participação ampliada no partido, no sindicato e em instituições similares demandava um investimento mais sistemático na ação coletiva, prática que não atraía a maioria.

A identidade *de esquerda* afirmada no campo político se expressa, no campo musical, pela afinidade com a música popular brasileira, vindo o *rock* em segundo lugar. Os cantores indicados como preferidos foram Milton Nascimento, Djavan, Cássia Eller e Chico Buarque, dentre outros do gênero. No que concerne à alimentação, preferem uma comi-

da com pouca gordura, sendo massa e peixe os pratos pre-
diletos. Apenas Pedro Paulo – justamente o que revela
maior identidade com as práticas mais presentes na Maré
– afirma gostos e posturas típicas da maioria dos moradores locais, seja na leitura do jornal *O Dia*, na preferência
por arroz, feijão e ovo ou no gosto musical por "todo tipo
de música".

As preferências assinaladas são comuns a pessoas de
determinados setores das camadas médias que defendem
uma postura liberal – no plano comportamental – e valorizam as manifestações culturais nacionais consideradas
mais sofisticadas. Assim, nesse processo de definição da *situação social*, há um nítido distanciamento, entre os jovens
entrevistados, das preferências mais comuns aos setores
populares.

O distanciamento se manifesta, além do campo cultural, no que concerne às formas de exercício da cidadania –
no caso, a capacidade de lutar pelos direitos individuais,
diante do poder público e das empresas privadas, a defesa
de que o Estado assuma um compromisso com os direitos
sociais e a crítica às formas *clientelistas* que caracterizam a
política tradicional, principalmente nos espaços populares.

As diferenças comportamentais contribuíram para um
progressivo sentimento de desconforto com a vida cotidiana
na Maré. Apenas Pedro Paulo não demonstrou interesse
em mudar-se para outro lugar. Ao contrário, ele expressou
um nítido sentimento de satisfação com suas condições
atuais de vida e moradia. As principais explicações para a
saída da Maré eram a violência, a falta de opções culturais
próximas de casa e, em menor medida, a dificuldade de
estabelecer relações mais próximas com amigos de fora.

Os fatores que impediam a saída eram as limitações
econômicas, alegadas por Lurdes, Eneraldo e Lia, e os vín-

culos familiares, apontados por Marcos, Lúcio, Cláudio, Márcia e, em menor medida, Carmem. Com efeito, a posição dominante no campo familiar leva alguns dos entrevistados a afirmar um discurso de responsabilidade pelos parentes – a mãe, em particular – que impede a saída solitária. A mudança física de um deles, como a realizada por Ana, só ocorre quando a relação com o espaço local gera um conflito subjetivo permanente, que torna a permanência insuportável.

Cláudio e Márcia, porém, afirmaram um elemento que consideravam positivo no fato de residirem na Maré: em alguns campos sociais, externos ao espaço local, a moradia em um espaço popular os *distingue* e os torna mais respeitados e valorizados. Afinal, a vivência na favela é considerada, tradicionalmente, como fruto da ausência de opções. No caso de ambos, todavia, a semelhança de situação social e profissional com os colegas de espaços externos permite que a vivência na favela seja considerada uma manifestação de coerência e compromisso social. Além disso, a representação estereotipada das favelas faz com que a condição de *favelado* e graduado apareça como uma *contradição de termos*. O fato leva à concessão de um juízo, a respeito dos *favelados* dotados de um maior capital cultural, que pode ser qualificado como um *exotismo positivo*.

Estratégias

A construção de uma estratégia voltada para o acesso à universidade não se fez presente no investimento escolar de nenhum dos pais. A ambição maior era que os filhos atingissem o ensino médio e, a partir daí, tivessem melhores condições de se posicionar no mercado de trabalho. Mesmo para Cláudio e Hélcio – com menores dificuldades financeiras durante o ensino fundamental e o ensino médio –, a perspectiva de ingresso na universidade foi se colocando gradativamente, a partir do desempenho alcançado pelo primeiro e da opção que o segundo foi delineando.

Um dado importante a ser considerado na definição das estratégias escolares é que, nas cinco famílias que definiram uma estratégia escolar de médio prazo para os filhos, dezessete deles – em um total de 22 – concluíram o ensino médio. Além disso, do total de 25 filhos que chegaram à universidade nas onze famílias, dezesseis eram integrantes daquelas cinco. Há, então, uma forte correlação entre as perspectivas delineadas pelos pais e o grau de conquista, pelos filhos, dos objetivos traçados.

A escolha das instituições de ensino médio e dos cursos de graduação realizados não decorreu, em geral, de uma experiência continuada e permanente, com a incorporação gradativa do interesse por uma área de estudo e/ou a criação de disposições adequadas para cursá-la. Às opções escolares se mesclaram, em diferentes hierarquias, avaliações do projeto escolar futuro, o desejo de permanecer com a *turma da escola*, exigências profissionais, demandas típicas do período e limitações da própria formação. Assim, para vários entrevistados prevaleceu o desejo de se manter com o grupo do ensino fundamental; para outros, a seleção foi em função da qualidade da instituição e/ou da facilidade de nela ingressar. O mais significativo, na verdade, é a ausência de participação familiar no processo. No que diz respeito ao projeto escolar, a emancipação dos filhos dos setores populares é, comumente, ao final do ensino fundamental.

Um dos elementos comuns na trajetória escolar dos jovens entrevistados, com uma exceção, era a representação deles como bons alunos, pelo menos no campo familiar. O elemento definidor do juízo, normalmente, era o fato de não darem *preocupação* na escola. Cláudio, Carmem, Eneraldo, Lia, Lúcio e Marcos, por exemplo, eram considerados muito inteligentes – ou, pelo menos, com um grande *dom* para os estudos. Essa representação, por seu turno, reforçava as suas expectativas. Apenas Márcia identificou-se como uma estudante com dificuldades de aprendizagem. O fato, porém, é apresentado de modo a acentuar qualidades outras, tais como a personalidade, a dedicação, a disciplina e, principalmente, o forte investimento familiar e pessoal na sua escolarização. A estratégia teria amenizado a influência da alegada dificuldade e se tornado o elemento decisivo para sua chegada à universidade.

No processo de construção das novas estratégias escolares, assumiram um papel significativo os mecanismos de *socialização secundária* dos jovens. A rede social escolar foi, na adolescência, praticamente exclusiva para cinco entrevistados – Hélcio, Lia, Eneraldo, Lúcio e Marcos. Para os outros, ela era uma das prioridades, ao lado da convivência na Igreja Católica ou do contato com grupos locais da comunidade. Márcia e Pedro Paulo eram os mais inseridos na rede da vizinhança. No caso dela, entretanto, não havia praticamente uma maior diferenciação entre a vizinhança e o campo familiar, em virtude da grande concentração de familiares em uma mesma localidade.

Pedro Paulo foi o único que, mesmo vivendo de forma intensa o cotidiano local, tanto na infância como na adolescência, conseguiu chegar à universidade. A possibilidade de cursar um bom colégio particular – tanto no ensino fundamental como no ensino médio – e a grande capacidade de ser *protegido* por agentes com maior capital cultural, social e econômico foram variáveis importantes para sua permanência e, de certa forma, contrabalançaram a forte inserção na rede local.

A maioria desses futuros alunos de universidades públicas optou por colégios públicos estaduais. Cabe salientar que a difundida constatação da precariedade do ensino público não gerou a sua homogeneização. Continuaram existindo unidades escolares públicas representadas como mais qualificadas, ao lado de outras consideradas mais precárias, distinção conhecida pelos alunos mais inseridos no campo escolar. Os quatro alunos – Marcos, Lurdes, Carmem e Eneraldo – que ingressaram no Colégio Mendes de Moraes justificaram a escolha em razão do juízo dominante, nas unidades escolares frequentadas no ensino fundamental, de que o Mendes era o melhor colégio da região.

A qualificação se sustentava, dentre outras variáveis, na experiência e na formação dos professores, na preservação e no funcionamento das instalações, no compromisso de determinados grupos da unidade escolar com a manutenção da *tradição* da instituição e, não menos importante, em função da possibilidade de selecionar, dentre um universo ampliado de candidatos ao ingresso, alunos mais preparados. Assim, a manutenção da qualidade se alimentava da *distinção* historicamente conquistada por aquela unidade específica de ensino.

Lia, Cláudio e Márcia foram estudar no Colégio Clóvis Monteiro. Apenas Ana estudou no colégio estadual que funcionava, à noite, na Escola Municipal Bahia. Na verdade, a distribuição dos alunos em colégios diferenciados sinalizava um determinado tipo de estratégia escolar, como se nota nas opções feitas por Lurdes e seus irmãos: considerada boa aluna e com a perspectiva de fazer universidade, ela fez prova e foi aprovada para o Mendes. Já dois de seus irmãos – justamente aqueles com menor rendimento escolar na família – optaram pelo colégio estadual localizado na Maré. As escolhas diferenciadas demonstram, também, o grau de *funcionalidade* do campo escolar diante das diversas estratégias estabelecidas pelos alunos, e o razoável conhecimento que os estudantes dos setores populares têm sobre sua dinâmica e seu sistema de classificação.

Além das opções institucionais efetivadas, o processo de chegada à universidade se definiu pelo encaminhamento de outras iniciativas pessoais, que contribuíram para a conquista dos objetivos almejados. A realização de um cursinho pré-vestibular, a formação de grupos de estudo, a organização de estudos individuais, a busca das carreiras menos desejadas e/ou a realização do vestibular mais de uma vez são algumas das estratégias experimentadas, a fim de garantir o ingresso no ensino superior. Seis dos jovens realizaram um curso preparatório para o vestibular, com diferentes durações. Alguns que não optaram pela estratégia do curso preparatório, tais como Lúcio, Marcos e Cláudio, realizaram um estudo individual, de forma sistemática e intensa.

No plano das relações estabelecidas no campo escolar, é significativa a importância que vários entrevistados concederam a professores específicos. Eles tiveram uma razoável influência em sua escolha do curso universitário. Quer pelo estilo pessoal, pela atenção particular concedida e/ou pela forma como desenvolviam o conteúdo da disciplina, os professores foram importantes na identificação com determinadas áreas de estudo e, consequentemente, na escolha da graduação a ser realizada.

Além da identificação com a disciplina, a definição por um determinado curso superior sofreu, em geral, influências mais pragmáticas: opções como as de Pedro Paulo e de Lia foram orientadas pela baixa relação candidato/vaga existente para os cursos escolhidos, respectivamente Física e Letras. O pragmatismo foi orientado pelo grau de identidade com a matemática, no caso de Pedro – que atuava, inclusive, como *explicador* da matéria –, e pelo *gosto* de Lia pela literatura. Outras razões apontadas para a escolha de um determinado curso foram a *preocupação social*, o prazer na ampliação do conhecimento sobre a realidade social e eventuais influências familiares. Até mesmo a identidade com o *estilo alternativo* do professor de história funcionou, para Marcos, como um fator relevante para a opção feita.

O que se revelou mais importante, na verdade, foi a perspectiva de realização do curso superior em si, visto como um instrumento para a melhoria da posição social. Eles acreditavam que a realização do curso ampliaria o acesso a novas referências culturais, a campos profissionais mais qualificados e com maior retorno financeiro e/ou daria oportunidade para uma ascensão profissional no serviço público, dentre outras possibilidades.

Em resumo, a trajetória escolar até a universidade foi realizada por um conjunto de alunos de escolas públicas ou escolas privadas de baixa qualidade da periferia. Esses alunos se sentiam à vontade no espaço escolar, se interessavam pelas relações ali desenvolvidas, além de se fazerem responsáveis pela trajetória escolar a partir da seleção da escola do ensino médio. Esses jovens entraram na universidade com cerca de seis anos de atraso em relação à seriação normal, fato derivado da associação entre as sucessivas reprovações no vestibular e perdas durante o percurso escolar, em função de razões diversas. Por fim, eles, em sua maioria, realizaram o curso universitário de acordo com os períodos definidos na grade curricular.

Conclusão: Afinal, por que uns e não outros?

O significado da inteligência institucional

No plano estrutural, o elemento explicativo, por excelência, dos casos de curta permanência dos alunos de origem popular na escola é o fator econômico. Ele limita o campo de possibilidades para a formulação de estratégias escolares de longo prazo, para a *invenção do futuro*. Nesse sentido, é possível concordar-se com a afirmação de Boudon (1981: 37) de que "o fator capaz de reduzir as desigualdades frente ao ensino numa perspectiva não utópica reside na redução das desigualdades econômicas e sociais".

O sucesso de iniciativas como o programa Bolsa Escola, desenvolvido em algumas cidades brasileiras, revela a importância da variável econômica para o desafio da permanência escolar. No programa, a permanência da criança na escola resulta no recebimento, por sua família, de uma determinada remuneração mensal, além de uma poupança, a ser retirada no final do ensino fundamental. Como já foi assinalado, uma das razões fundamentais da curta permanência escolar é a valorização extrema, por parte dos setores populares, da realidade presente. Logo, o mérito maior do Bolsa Escola é, reconhecendo o fato, estabelecer um mecanismo de satisfação de necessidades materiais presentes com a constituição de iniciativas que apontam para um projeto de futuro.

O reconhecimento da importância da variável econômica para a permanência dos setores populares no espaço escolar não implica absolutizá-la. Se ela fosse determinante, não haveria a diferença de desempenho identificada entre os alunos dos setores populares, e a interrogação presente no título deste livro, inclusive, perderia sua razão de ser. Logo, os limites da variável econômica como o fator explicativo do desempenho escolar aparecem quando se considera o desempenho dos entrevistados, que também sofreram os efeitos da ausência de um maior capital econômico em seu cotidiano.

Assim como a variável estrutural, também devem ser relativizadas as variáveis centradas apenas no desempenho do sujeito, em particular a competência cognitiva. A inteligência, *stricto sensu*, funciona de forma corrente como o elemento explicativo e legitimador das diferenças entre os alunos. Instituição avaliadora e classificadora, por excelência, da capacidade cognitiva, a escola tornou-se um elemento intimamente relacionado à inteligência. Na verdade, a contribuição fundamental da competência cognitiva é qualificar o desempenho, principalmente no que concerne às notas alcançadas.

A compreensão da permanência escolar decorre da dinâmica estabelecida entre as características singulares do agente e as redes sociais nas quais ele se insere. Essa relação se dá em um quadro histórico e social, produzido e produtor, de variadas formas, das instituições sociais e dos diversos agentes. Logo, tem mais significado para a permanência escolar, dentre outras coisas, a posição ocupada pelo agente nos campos escolar e familiar. Essa posição é fruto de uma série de variáveis, que vão de seu carisma até sua capacidade de *jogar* com as normas disciplinares, assim como as notas conseguidas nas disciplinas escolares. E o elemento fundamental para a conquista dessa posição é um tipo de inteligência que pode ser denominada *institucional*. Ela revela-se através do grau de compreensão manifesto pelos alunos das *regras do jogo* no campo escolar e da maneira de jogar com elas.

A inteligência institucional se expressa, por exemplo, através da *boa vontade* cultural: o aluno assimila com disciplina, mas pouca compreensão, os conhecimentos veiculados na escola, considerados importantes para o seu futuro. Ela se manifesta no esforço de Eneraldo para tirar boas notas, mesmo achando que alguns conhecimentos não eram importantes para a vida; na postura de Marcos, quando estudou muito para ser aprovado em uma disciplina "porque sentiu que não era interessante bater de frente" e, como garantia, ainda falou "meia dúzia de palavras carinhosas para a dona"; e, para não ser exaustivo, na postura humilde adotada por Pedro Paulo e Ana, no momento de solicitação de bolsas na universidade. Uma postura *exteriorizada,* que não refletia suas crenças e/ou sentimentos subjetivos, sendo utilizada em função das circunstâncias. A inteligência institucional revela, portanto, mais do que algumas disposições para o conformismo ou a introjeção da subordinação, uma aguda sensibilidade para o jogo nos campos institucionais, onde a consecução dos objetivos imediatos é mais importante, em determinados momentos, do que a defesa de posições mais profundamente arraigadas.

Outra variável importante no desempenho escolar é a classificação familiar entre os filhos/irmãos *capazes* e os que *não gostavam/não conseguiam aprender.* A competência para a escola não se dá de forma autônoma. A classificação familiar começa a ser forjada no processo inicial de relação da família com a escola – sendo que, algumas vezes, é até anterior ao ingresso na instituição. Como afirma Bourdieu (1979: 145):

A família e a escola funcionam inseparavelmente como lugares onde se constituem, pelo próprio uso, as competências julgadas necessárias a um momento do tempo, e

como lugares onde se forma o preço dessas competências, quer dizer, como mercados que, por suas sanções
positivas ou negativas, controlam a *performance*, refor-
çam aquilo que é "aceitável", desencorajam aquilo que
não é.

As representações da competência da criança para a escola são constituídas de acordo com o seu grau de afinidade precoce com determinadas habilidades cognitivas exigidas naquele espaço, tais como o interesse pela leitura e pela
escrita na primeira infância e/ou a facilidade em expressar-
-se oralmente. A identidade entre seu comportamento cotidiano e normas exigidas no campo escolar é outro aspecto importante: o comportamento conformista diante dos
adultos, a disciplina para fazer as tarefas, o compromisso
com os horários escolares e/ou o *capricho* com a aparência
e os pertences.

O encontro entre o juízo corrente na família e o vinculado por profissionais da unidade escolar estabelece a expectativa de permanência do aluno. No processo, os juízos
afirmados vão sendo introjetados pela criança e suas práticas vão sendo avaliadas de acordo com esses juízos. A forma como reage a eles será fundamental para a progressiva
dissonância/consonância da criança em relação à escola.
Ocorre, então, algo maior do que a conhecida *profecia au-
torrealizada* – centrada na expectativa do professor. O que
se manifesta, no caso, é um movimento *profético* construído socialmente, inclusive pelo aluno. Esse processo não
ocorre apenas na infância; durante toda a vida escolar, os
alunos são avaliados de acordo com a representação que
eles constroem e que deles se constrói nesse espaço. Muitos
estudantes têm histórias a contar sobre avaliações despro-
positadas realizadas por um ou outro professor, em função
da representação que possuíam de alunos determinados.

Assim, a permanência do aluno considerado pouco "vocacionado para a escola" dependerá do grau de acesso e identidade que ele tenha com o *mundo da rua*, do tipo de estratégia escolar encaminhada em sua rede familiar e/ou da sua competência em desenvolver alguma habilidade particularmente valorizada pela instituição.

A escola como necessidade

A respeito da *culpabilização* dos pais e filhos pela saída precoce da escola, Bernard Lahire (1995) faz uma contundente crítica a um juízo comum ao espaço escolar: a pretensa falta de compromisso dos pais de crianças dos setores populares com a escolarização de seus filhos. Ele denomina essa representação estereotipada "o mito da demissão paterna" e utiliza um conjunto de argumentos para demonstrar que os pais de origem popular teriam uma preocupação concreta com a educação escolar de seus filhos. A atenção à escola se manifestaria, no entanto, de forma distinta à adotada pelas famílias dos setores médios. A justa preocupação de Lahire em combater o preconceito sofrido por determinado grupo de crianças e seus pais, no entanto, o faz ignorar um dos pressupostos centrais de sua obra: a elaboração de uma resposta à questão da permanência escolar deve levar em conta a pluralidade de variáveis, relacionadas entre si.

O desejo de melhoria ou de garantia da posição social por parte dos filhos é um elemento intrínseco às famílias, populares ou não. Esse desejo é social, não natural, provocado pela inserção das famílias nas redes sociais. Não há, porém, correspondência *direta* entre a responsabilidade dos pais com o futuro dos filhos e o nível de investimento na escola – posição assumida, com sinais trocados, por Lahire e os defensores da "demissão paterna". Uma parcela significativa das famílias de origem popular, de fato, participa da trajetória escolar dos filhos. E isso se manifesta, em geral, de uma forma que pode ser denominada, como já foi assinalado, *logística*: a família se faz presente no percurso escolar através de uma estrutura de apoio – em particular, material.

Muitos pais investem, todavia, menos do que poderiam na trajetória escolar de seus filhos. E o fazem não por descompromisso com a conquista de uma melhor posição social, ou com a garantia daquela que a família já possui. O que ocorre, na verdade, é que eles apreendem e se relacionam com a escola de acordo com as condições objetivas em que vivem, com os outros campos sociais nos quais se inserem e as disposições que desenvolveram. Ora, nesse quadro, os pais – ou um dos pais – podem não compreender o investimento escolar como o mais adequado. Nos casos em que o diploma escolar é considerado o instrumento, por excelência, da ascensão social, a estratégia escolar se encaminha para uma permanência de médio ou de longo prazo. Caso o campo profissional seja o caminho priorizado, o investimento no campo escolar tende a ser de curto prazo. Esses dois tipos, entre outros, de estratégias assumidas pelo grupo familiar e/ou pelo filho se materializam em práticas significativas para a viabilização de um futuro em bases distintas do presente.

De qualquer forma, não basta os pais definirem uma estratégia educativa centrada na permanência do filho. O campo escolar é caracterizado por seu sistema classificatório e distintivo. Assim, é importante para a inserção e a permanência nesse campo que o estudante tenha *interesse* em nele conquistar uma boa posição. Caso ele despreze as *regras do jogo* vigentes no campo escolar e a qualidade do seu desempenho – expresso nas notas e na aprovação dos professores, dentre outros – não afete sua subjetividade, seu investimento escolar provavelmente será inferior ao necessário para garantir sua permanência prolongada.

O filho que estiver mais voltado para os mecanismos de socialização do *mundo da rua* e/ou do campo profissional, buscando ser aprovado ou conquistar neles uma posição superior, tenderá a ter um menor *interesse* em atuar no campo escolar – caso as disposições requeridas nesses campos sejam distintas. Quando esse tipo de situação ocorre em uma rede familiar onde a permanência na escola não é uma estratégia central, o jovem sairá da escola mais cedo. Logo, é possível considerar que a configuração familiar é um forte condicionante para o desempenho nos primeiros períodos escolares, como demonstra Lahire. As redes sociais priorizadas pelos estudantes em períodos escolares mais avançados, no entanto, ocupam os papéis centrais no desdobramento de suas trajetórias escolares.

A melhor compreensão da unidade familiar demanda, portanto, sua apreensão como um campo social. Com efeito, ela pode ser representada como uma instância social marcada por relações contraditórias e correlações de forças, onde os agentes assumem diferentes posições e entrelaçam práticas solidárias e competitivas – expressivas das ambiguidades dos vínculos e rupturas de todos nós, seres sociais. No espaço familiar, há o estabelecimento de valorações e hierarquias diferenciadas, de acordo com o gênero, a posição de nascimento, a relação dos pais, esquemas de preferência dos pais e parentes, o estilo pessoal. A posição assumida pelos filhos no campo familiar se reflete em seu desempenho escolar. O fato se manifesta, de forma especial, nas redes familiares onde elementos como o talento intelectual, a dedicação individual e a *vocação para os estudos* são muito valorizados no desempenho escolar.

A "demissão paterna" tem, como contrapartida, um juízo que se tornou hegemônico no campo pedagógico brasileiro: a localização na escola de toda a responsabilidade pelo processo de exclusão dos alunos dos setores populares do espaço escolar. O fato seria justificado pela dissonância entre as exigências feitas pela instituição escolar e as práticas sociais dos alunos de origem popular. No espaço social e no meio acadêmico, entretanto, há um razoável acordo em que a escola deve ser um espaço prioritariamente dedicado à produção e, principalmente, à difusão de conhecimentos científicos, de forma sistemática. O cumprimento desses objetivos pressupõe algumas exigências peculiares, dentre elas que os agentes inseridos na escola desenvolvam algumas competências básicas para a aquisição, a produção e a difusão dos produtos ali gerados.

Na dinâmica do campo educacional, com efeito, determinadas exigências e formas de classificação dos alunos funcionam como barreiras estruturais para a permanência de alunos dos grupos sociais populares. Considerar, entretanto, que o estabelecimento de uma maior consonância entre a escola e os setores populares é tarefa apenas da escola é uma absolutização. Da mesma forma, acreditar que os juízos e limitações objetivas presentes no jogo escolar são os geradores, isoladamente, da saída precoce de muitos alunos dos setores populares é um reducionismo. Esse posicionamento tem como premissa a percepção dos alunos de origem popular como sendo vítimas passivas de um sistema educacional monolítico, dominado por uma autonomia absoluta que retira a escola do espaço social. No limite, a questão da desigualdade escolar termina sendo localizada na instituição, assim como a resposta para o problema.

A crítica aos limites do papel da instituição, todavia, não significa realizar a *curvatura da vara* – prática comum no campo educacional – e identificar a escola como um simples reflexo das relações que ocorrem no conjunto dos campos sociais. Sua responsabilidade em relação ao percurso escolar deve ser reconhecida e, ao mesmo tempo, relativizada: parte fundamental na caminhada dos seres sociais, ela não é a única variável explicativa para o fenômeno da exclusão, assim como não pode ser exclusivamente responsabilizada pela permanência, em termos absolutos, de um número cada vez maior de estudantes dos setores populares.

A determinação da família ou da instituição escolar como a responsável pela curta permanência do aluno deriva de uma premissa comum à teoria pedagógica *conservadora* e à *progressista*. Ambas acreditam que a permanência escolar se manifesta como uma *necessidade*, que só se perde por incapacidade pessoal/familiar ou por culpa do sistema escolar, respectivamente. Ora, *necessidade*, no sentido filosófico do termo, é "aquilo que não pode ser de outra maneira, que não se pode conceber como não existindo" (Japiassu e Marcondes, 1989: 137).

O termo contribui, caso seja utilizado em sua radicalidade, para tornar mais precisos os diferentes vínculos das famílias com a escola: entre a intenção de que o filho permaneça na escola e a *necessidade* de que ele a assuma como central em sua estratégia de ascensão social há um longo caminho. Da mesma forma, o que pode ser uma *necessidade* para os pais pode não o ser para os filhos, como já foi assinalado. O aspecto central, no caso, é o reconhecimento de que a escola não é um valor em si, que seria percebido da mesma forma por todos os agentes sociais. Ela pode ter uma importância menor, em algumas situações, do que outras aspirações colocadas para os jovens.

Nas famílias que entendem a escola como necessidade, há a realização de uma estratégia denominada *educógena*: nela, a escolarização ocupa uma parcela significativa das preocupações cotidianas e, em muitos casos, dos recursos financeiros dos pais. A estratégia pode se expressar em duas modalidades distintas: a primeira se referencia na ética do trabalho. Nela se valorizam, sobremaneira, a disciplina, o trabalho e o esforço. O estudo aparece como uma variação do trabalho e o diploma é visto como um capital fundamental para o mercado; há um grau escolar mínimo a ser alcançado, não havendo uma preocupação maior com o conhecimento veiculado no processo pedagógico. As famílias de Hélcio, Ana e, em menor escala, Márcia expressavam essa postura.

Na segunda modalidade, o talento aparece como um fator fundamental: há um forte investimento no sistema escolar, mas a vocação para o estudo e outras disposições individuais são consideradas requisitos fundamentais para a permanência. As famílias de Carmem, Cláudio e Lúcio são exemplos dessa estratégia. A estratégia educógena centrada na identificação entre o campo escolar e o campo do trabalho, portanto, revelou-se mais adequada para a maior permanência dos filhos. Afinal, nas famílias de Hélcio, Márcia e Ana, apenas um, entre treze filhos, não chegou à universidade.

Nas famílias de Cláudio, Lúcio e Carmem, os irmãos eram, com frequência, comparados a eles e se exigia que desenvolvessem a mesma postura. Na família de Cláudio, os irmãos só ingressaram na universidade – ambos depois dos 25 anos – após um longo processo. Nas famílias de Lúcio e Carmem, no entanto, apenas eles chegaram à universidade. O processo de diferenciação nos juízos e a criação de mecanismos comparativos contribuíram para gerar um menor interesse dos irmãos mais novos pelo espaço escolar, reforçando a maior inserção deles no campo da vizinhança.

A maioria das famílias dos setores populares afirma um comportamento em relação à escola no qual esta se revela como uma *inevitabilidade*, decorrente de um difuso sentimento de obrigação social. No contexto da sociedade urbana brasileira, a universalização das primeiras séries do ensino fundamental faz-se presente em todas as redes sociais. Ela tornou-se, efetivamente, um elemento intrínseco do jogo social. Assim, os filhos vão para a escola da mesma forma que as outras crianças de sua rede social. No entanto, as *necessidades* afirmadas na maioria dos grupos familiares são externas ao espaço escolar.

A compreensão da postura fica mais evidente quando se leva em conta que a estratégia de reprodução social é precedida de uma *estratégia de atuação paterna*. Os pais definem formas determinadas de cumprir os papéis que julgam ser adequados às posições ocupadas, no campo familiar. Faz-se comum que muitos pais se empenhem em evitar, antes de tudo, que os filhos se *percam* na favela ou se *contaminem* com comportamentos distintos de suas referências morais. A necessidade maior é de que os filhos adquiram identidade com o trabalho, valores morais rigorosos, respeito à propriedade e aos mais velhos, dentre outros.

O embate cotidiano para que os filhos permaneçam no *bom caminho* pode ser mais central que a construção de um projeto de futuro mais ambicioso, no plano profissional. Diante disso, a prioridade para uma determinada estratégia de reprodução – escola, trabalho ou mesmo casamento – será definida de acordo com o desempenho escolar do filho, o gênero, as condições financeiras do período ou a idade. Nas famílias de Lia, Marcos, Pedro Paulo,

Eneraldo e Lurdes, afirmou-se esse tipo de postura, com as devidas nuances.

A criação dos filhos nos espaços populares, em particular as favelas, não é, em geral, praticada de forma tranquila, como revelaram quase todos os entrevistados. Isso porque as manifestações cotidianas de violência são frequentes, havendo uma série de riscos objetivos para as crianças que vivem *soltas*: risco de serem atingidas por *balas perdidas*, se envolverem com *más companhias*, iniciar-se precocemente na vida sexual, envolver-se com drogas, sofrer os efeitos de algum conflito e daí por diante. Nesse caso, a estratégia de dificultar as possibilidades físicas de contato da criança com o mundo local é comum. Além disso, os pais sofrem a pressão, muitas vezes, de parentes que residem fora do espaço favelado, que incorporam e difundem um conjunto de conceitos estereotipados sobre o cotidiano desse tipo de localidade.

O controle do acesso ao espaço físico local não tem, necessariamente, como contrapartida uma valorização extremada do espaço escolar ou do campo religioso pelos pais. Com efeito, o temor ao externo local – seja a rua e/ou instituições ali inseridas – é fruto, comumente, de uma lógica conservadora, na qual a questão moral é mais significativa do que qualquer outra. No caso, ela define, muitas vezes, os limites das estratégias sociais. A ênfase no trabalho termina por ser um ponto de confluência nos juízos dos pais e da maioria dos filhos: para os primeiros, o trabalho permite que o filho desenvolva uma ocupação, contribua na casa e não fique muito tempo na rua; para o adolescente, em particular, o trabalho permite a conquista de certa independência no que diz respeito ao direito de ir e vir, o acesso a novos produtos e a mudança de sua posição no campo familiar. Assim, a saída precoce dos alunos de origem popular do campo escolar atende, em determinadas situações, a um conjunto de exigências que não se vinculam diretamente ao campo escolar.

Algumas vezes, como demonstram os relatos de Lúcio e de Lia, o *fechamento* para o espaço local não é apenas dos pais; no caso dos filhos, contudo, ele tende a se manifestar apenas no decorrer da adolescência – e de acordo com a relação que eles estabelecem com colegas de outros espaços sociais. De qualquer forma, o fechamento para o espaço favelado contribui, em variadas situações, para a abertura dos filhos para o espaço escolar. Este adquire uma clara *positividade*, visto ser o lugar possível para a ampliação da socialização e onde gozam de maior liberdade de ação – inclusive para a execução de práticas interditas, como namorar, no caso das meninas.

Esse tipo de vinculação com o espaço escolar pode ocorrer tanto com as garotas como com os garotos. Quando a abertura para o espaço escolar é combinada com disposições nele exigidas, os agentes passam a preferir aquele espaço, construindo ali seus vínculos sociais.

Não é casual, então, que o espaço escolar tenha sido citado como prioritário, em relação ao espaço da vizinhança, por quase todos os entrevistados. Na ocorrência desse tipo de relação entre o estudante e a escola, existe uma forte possibilidade de que ele permaneça na escola por um tempo longo.

O peso do *interesse* singular na permanência escolar se manifesta nas entrevistas: todos os irmãos que priorizaram a socialização no campo da vizinhança – secundarizando a maior ligação com o espaço escolar – tiveram dificuldades em permanecer na escola, ou em concluir seus cursos. Isso ocorreu tanto nas famílias de Cláudio, Hélcio e Ana, todas *educógenas*, com variações internas, como nas famílias de

Lúcio, Eneraldo e Lia, onde a longa permanência é exceção. O problema dessa observação é a identificação precisa da causa e da consequência: a maior inserção no espaço local é anterior aos problemas escolares, paralela ou posterior?

A prática das atividades escolares exige o cumprimento regular e continuado de um conjunto de atividades particulares. Assim, é razoável supor que a inserção no espaço popular local sem a regulação das obrigações cotidianas, inclusive escolares, e sem a delimitação dos espaços de circulação e de horários, associada a um *interesse* e a uma identidade singular do agente com as representações e práticas hegemônicas nesse espaço popular, contribui para o desenvolvimento de disposições que geram uma maior dissonância entre o agente e a instituição escolar.

Conclui-se do exposto que uma das variáveis fundamentais para a longa permanência escolar é o grau de identificação existente entre o agente e a instituição. No entanto, os alunos, em geral, não concedem um significado maior ao conhecimento veiculado na escola. O mundo da sala de aula, como espaço de acesso a conhecimentos mais gerais, é um mundo anódino, em geral, sem muito significado para os agentes – para o bem e para o mal. Não há, todavia, contradição entre a identificação com o espaço escolar e o desinteresse pela sala de aula. A identificação pode se expressar por uma relação intensa com alguns professores e/ou com uma rede social de colegas, como é mais comum, visto que não há uma associação direta entre o espaço da sala de aula e o espaço escolar, em sua globalidade.

O estabelecimento preferencial de vínculos externos ao espaço da sala de aula faz com que a qualidade didática das aulas recebidas – ou *construídas* – não tenha um impacto maior na permanência do aluno. Caso ele estude, por exemplo, em uma escola considerada *fraca* – onde os professores utilizam instrumentos pedagógicos, em geral, pouco criativos e desinteressantes – mas consiga construir fortes laços no espaço em questão, irá considerar a escola *boa, legal*. Isto por ela atender a algumas de suas principais necessidades subjetivas imediatas – além de contemplar seus objetivos mediatos, tendo em vista a importância especial do diploma nos setores populares.

Assim, têm mais significado para os alunos as redes sociais que eles constituem no campo escolar e sua forma de inserção: quando, nessa rede social, há a hegemonia de projetos voltados para uma longa permanência e a afirmação de iniciativas vinculadas às tarefas exigidas no espaço escolar, há boas possibilidades de o agente estender sua caminhada, mesmo que em sua rede social familiar esse objetivo não se faça tão claro.

As identidades e os pertencimentos

O processo de identificação com amigos e/ou professores que circulam em outros espaços sociais, como outras localidades, Igrejas, entidades diversas, tem um papel significativo nas opções estratégicas e nas escolhas localizadas dos agentes dos setores populares. A influência se expressa, principalmente, na seleção da escola de ensino médio e na produção dos gostos culturais – música, filmes, vestuário. Com isso, vai se processando o ingresso em novos campos sociais, com a potencial e gradativa reconversão das práticas sociais, com profundas consequências, normalmente, nos mecanismos de *pertencimento* às redes sociais locais.

Defino a noção de *pertencimento* como o processo de incorporação e exteriorização de um sistema de atitudes que levam à constituição da identidade do agente, que se materializa na posição em que ele se situa em determinados campos sociais. No caso dos entrevistados, a questão que se coloca é sobre os vínculos entre os jovens universitários e suas inserções nos espaços locais. Em primeiro lugar, cabe esclarecer que o fato de a grande maioria dos entrevistados apontar o desejo de sair da Maré – se pudesse – não reflete, necessariamente, uma perda do sentimento de *pertença*. Com efeito, a situação de conflito entre a polícia e o tráfico de drogas limita o direito de ir e vir, dificulta o contato com pessoas de outros espaços sociais e gera um temor permanente de ser atingido por algum tipo de violência. O desejo de sair que é fruto de pressões exteriores é diverso do sentimento de *incompatibilidade cultural*, onde o agente assume um tipo de *habitus* que o leva a considerar a vida no espaço popular como um limite para o exercício de práticas adequadas aos valores que desenvolveu e para o acesso aos produtos culturais que gostaria de consumir – fato expresso apenas por Ana e, em certa medida, por Lurdes.

A relação de ruptura com o espaço de origem, quando ocorre, se faz comumente de forma definitiva e, em alguns casos, traumática, do ponto de vista psicológico. Isso porque a inserção dos jovens em diferentes campos tem como consequência, inicialmente, a manifestação de certa incapacidade de ordenar, no plano subjetivo, as práticas adequadas aos campos específicos. O ingresso e a permanência no campo universitário são um bom exemplo desse processo: quando as disposições consideradas *naturais*, no grupo social de origem, deixam de ser percebidas como tais e o que é *natural*, na universidade, ainda não foi incorporado completamente, instala-se o *desenraizamento*. Dentro dos devidos limites, podemos ilustrar essa situação fazendo uma analogia com o protagonista de uma antiga fábula popular:

O corvo, insatisfeito com sua condição, admirava a distância a comunidade dos pombos – marcada pela elegância, pela cultura e pela beleza. Até que, certo dia, toma uma posição radical: pega uma lata de tinta branca e pinta-se inteiramente. Com essa nova roupagem, dirige-se ao pombal; lá chegando, é rapidamente identificado pelos pombos originais, que não permitem seu ingresso na sociedade. Decepcionado, decide voltar ao convívio de seus pares – os corvos. Lá chegando, todavia, a decepção se faz mais profunda: seus antigos irmãos não o reconhecem e o repudiam. Assim, sem ter o que tinha e não alcançando o que desejava, ficou o pobre corvo só, lamentando sua singular condição.

O processo, continuado, de incorporação de práticas adequadas aos novos campos sociais gera a constituição de um novo *habitus*, no qual variadas práticas típicas das redes sociais de origem foram substituídas – no plano da fala, das preferências estéticas e afetivas e das formas de lazer, dentre outras. A dificuldade em exercitar, nas áreas populares, essas novas disposições é que gera o sentimento de *distanciamento* desse espaço, ao lado da segregação socioespacial existente na cidade do Rio de Janeiro – que desqualifica o morador e a moradia nos espaços populares.

Isso ajuda a explicar o fato de muitos professores de origem popular, com uma trajetória escolar marcada por dificuldades objetivas e subjetivas, assumirem, muitas vezes, atitudes preconceituosas em relação aos alunos de origem semelhante: o desenvolvimento de novas disposições se alia a uma compreensão de sua caminhada como algo pessoal, fruto do seu esforço particular – e, comumente, de sua família. Assim, esses professores não se reconhecem e não se identificam com esses alunos, construindo formas de distinção que contribuem para sua estigmatização.

Por outro lado, a inserção continuada dos universitários nas redes sociais locais as influencia. Assim, elas já não são o que eram, nem serão o que (ainda) são. Vão se criando condições, então, para a incorporação de novas disposições pelos agentes que as constituem, gerando variados estilos pessoais e identidades marcadas pela pluralidade. Novas redes, novos mundos, tecendo-se continuamente, a cada escolha, a cada passo, na longa caminhada que nos leva para/pela vida.

APÊNDICE

Considerações sobre alguns pressupostos a respeito do desempenho escolar dos grupos sociais populares[41]

O fenômeno das desigualdades no desempenho escolar como um problema teórico é relativamente novo no campo educacional brasileiro. Até a década de 1960, o principal desafio do sistema escolar do país se colocava no terreno da democratização do acesso de contingentes expressivos da população, tanto crianças como adultos, aos bancos escolares. Os pioneiros trabalhos nacionais que trataram das diferenciações de aprendizagem na instituição escolar foram marcados, no plano temático e teórico, pela forte influência dos Estados Unidos no pensamento educacional hegemônico naquele Brasil.[42]

Na Sociologia da Educação produzida em nosso grande vizinho do Norte, o fenômeno da desigualdade escolar já era estudado desde a década de 1950. As variáveis então consideradas pelos cientistas sociais para a explicação dos desempenhos heterogêneos, dentre os quais se destacava a persistente desvantagem das crianças dos setores populares em relação àquelas dos setores sociais médios e altos, valorizavam condicionantes diversos. Elas podem ser classificadas da seguinte forma:

a) as determinações de ordem biológica/psicológica – em que se inscreviam as diferenças de gênero, de QI, de desenvolvimento cognitivo, emocional e motor;

---

[41] Versão de texto originalmente publicado na revista *Teias*. Faculdade de Educação, UERJ, set. 2001.

[42] Cf. Forquin, 1995; Patto, 1990; Hutchinson, 1960.

b) as determinações econômicas – em que se levavam em conta, principalmente, a profissão dos pais, a renda familiar e as condições de vida material do grupo familiar;

c) as determinações culturais – em que se consideravam os capitais culturais do grupo familiar, o *éthos* familiar, as formas de utilização da leitura e da escrita no cotidiano, o grau de racionalidade na organização das tarefas cotidianas, as relações de poder estabelecidas entre os membros da família, a origem geográfica, as trajetórias sociais e escolares efetivadas no grupo familiar, as práticas linguísticas do grupo social do aluno, o nível de investimento familiar na escolaridade;

d) as determinações intraescolares – em que se valorizavam o grau de expectativa dos professores em relação aos alunos, as práticas linguísticas, o currículo, nas suas diferentes formas, as ações pedagógicas desenvolvidas, as concepções de mundo e de indivíduo afirmadas no interior da escola.[43]

O espectro de razões possíveis para a diferenciação dos desempenhos na Sociologia norte-americana era, todavia, dominado pela pressuposta existência de um conjunto de deficiências – no âmbito material, cognitivo, cultural e mesmo moral – dos membros dos setores populares em relação aos setores sociais dominantes. Esse discurso se transforma, em outras instâncias e/ou momentos, no *discurso da ausência*. O pressuposto é o mesmo: colocam-se dois grupos sociais em situação de comparação, partindo-se das características de um para situar/classificar o outro.

O que se reafirmava na premissa, na verdade, era a legitimidade, sustentada na *naturalização* das desigualdades, do

---

[43] Cf. Forquin, 1994, 1995; Patto, 1990; Boudon, 1977, 1981; Connell *et alii*, 1995; Willis, 1991.

pretenso mérito individual e/ou de grupo como critério objetivo da classificação social. Nesse caso, a diferença de competências como critério de classificação social, noção já enraizada no senso comum, adquiriu uma pretensa cientificidade. Dessa forma, ela contribuiu para reforçar as representações afirmativas da responsabilidade exclusiva dos alunos e de suas famílias pelos fracos desempenhos escolares.

Por outro lado, manifestava-se também, na lógica liberal, uma crença abstrata e real nas possibilidades de uma ação efetiva do indivíduo no mundo. Os educadores e pesquisadores identificados com o liberalismo acreditavam que o indivíduo racional, integrado às regras sociais e com fé no progresso individual/social, era o sujeito, por excelência, de seu destino e de sua posição social. A crença se materializava em uma concepção educacional *otimista*, e na busca permanente de soluções que permitissem corrigir as *disfunções* diretamente proporcionais à democratização do acesso à escola dos grupos sociais populares – que prejudicavam a igualdade das oportunidades no sistema social. Marcadamente ideológica, nos termos de Marx, essa visão se sustentava, também, em elementos concretos e contribuía, em um determinado nível, para a produção de uma nova dinâmica no campo educacional, aspecto, dentre outros, ignorado nas críticas à instituição escolar. Assim, a crítica ao pensamento educacional liberal como mera *ideologia, in totum,* teve como subproduto perverso o *desconhecimento* das estratégias singulares dos indivíduos, construídas como uma forma de superar os limites reais, resultantes do sistema de classes, presentes no campo social – limites, esses, sim, obliterados no discurso liberal.

Com efeito, a escola tornou-se um dos principais instrumentos de ascensão social individual e/ou inserção qualificada no mercado de trabalho para os grupos sociais menos providos de capitais. E essa característica contribuiu para que esses grupos ignorassem as propostas de *desescolarização* defendidas, historicamente, por inúmeros educadores e entidades sociais.

De qualquer forma, o processo de elucidação dos mecanismos de funcionamento da estrutura escolar encaminhado, a partir do final da década de 1960, por um conjunto de pensadores – franceses, em sua maioria – foi uma ruptura significativa com o paradigma dominante no campo das desigualdades escolares. Esses autores tinham como objetivo maior criticar a pretensa legitimidade da educação e, *a fortiori*, da escola como instrumentos objetivos para a classificação social dos indivíduos e grupos.

No embate, redefiniu-se o campo temático e emergiu um novo campo de análises sobre os vínculos entre estabelecimentos de ensino e o conjunto da sociedade. As novas investigações, identificadas com o pensamento crítico-estruturalista, expressavam uma postura que viria a ser situada no paradigma *conflitualista*, em função de sua particular valorização dos embates entre grupos dominantes e dominados no sistema social, cujo cerne era uma radical crítica à atuação da escola, nos seus mais diferentes aspectos.

Althusser, capitaneando esse processo, denunciou a representação estabelecida do sistema escolar. Ele afirmava que a instituição, na sociedade moderna, seria o aparelho ideológico predominante, com o papel de legitimar as relações de dominação do sistema de classes. A valorização da *meritocracia*, centrada na competência individual, disfarçaria, para o filósofo francês, as desigualdades de classes fundamentais do sistema social capitalista. Establet, Baudelot, Poulantzas, Bourdieu, Passeron, Bowles, Gintis, Illich e vários outros autores,[44] das mais variadas formas, e em alguns casos independentemente de suas intenções originais, contribuíram para reforçar a corrente crítica ao caráter de classes e, pretensamente, reprodutor da escola.

Aquele conjunto de análises eclipsou o "otimismo pedagógico" liberal. Cabe salientar, porém, a dominância de uma base macrossociológica, nas duas *correntes*, para a explicação das desigualdades escolares. Estabeleceram-se, em geral, vinculações diretas e imediatas dos agentes coletivos e entidades escolares com outras instâncias sociais. O que significa dizer, em que pesem as diferenças de conteúdo, que os elementos da análise, os agentes, o espaço escolar e os conteúdos de ensino eram pensados dentro de uma perspectiva estrutural, onde a reprodução social aparecia como elemento referencial, embora interpretada a partir de éticas e conceitos diferenciados.

No processo, foram se fazendo hegemônicas no campo do estudo das desigualdades escolares as abordagens que os pesquisadores *conflitualistas* se propunham a desenvolver. De forma particular, destacam-se, por um lado, autores como Baudelot e Establet, que propunham uma compreensão da escola a partir dos vínculos entre sua produção (de trabalhadores, de dirigentes, de legitimações) e a produção econômico-social. Por outro lado, Bourdieu se tornou uma referência fundamental pela capacidade de impor uma problemática, tendo servido seus trabalhos, dentro de um viés culturalista, como parâmetro para vários outros autores. O culturalismo, abordagem que tem nas diferenças culturais o eixo básico para a análise da instituição escolar, foi o conceito explicativo fundamental das pesquisas fun-

---

[44] Cf. Althusser, 1980; Snyders, 1981; Bourdieu e Passeron, 1982; Saviani, 1985; Patto, 1990; Petitat, 1993; Forquin, 1994, 1995; Silva, 1996.

cionalistas norte-americanas e, de forma especial, da Nova Sociologia da Educação (NSE), que se desenvolveu na Inglaterra a partir dos anos 1970.

Os educadores brasileiros, em geral, viram-se, portanto, no início da década de 1970, pressionados em larga medida por duas posturas abrangentes e antagônicas: de um lado, aqueles identificados com o pensamento educacional então hegemônico nos Estados Unidos visualizavam e buscavam resolver os desafios escolares a partir de uma lógica *funcional*. Nesse sentido, almejavam construir padrões regulares de comportamento e de aprendizagem em uma perspectiva pejorativamente denominada pelos críticos *tecnicista* e/ou propunham formas *compensatórias*, a fim de enfrentar as insuficiências de desempenho que identificavam nos alunos oriundos dos grupos sociais populares. No outro polo, educadores identificados com as *teorias da reprodução* sustentavam uma postura crítica ao Estado autoritário e à escola *in totum* questionando, no extremo, suas existências.

O movimento provocou, consequentemente, novas interpretações da desigualdade escolar no Brasil, de forma mais evidente a partir da segunda metade da década de 1970. Destacou-se, no caso, o fortalecimento da percepção de que as diferenças entre os ambientes socioculturais onde as crianças são educadas transformam-se em deficiências pelo sistema escolar. Isso porque o campo escolar seria dominado por concepções de mundo e práticas pedagógicas adequadas, principalmente, às experiências e aos interesses das classes sociais dominantes. A posição contraposta a essa pretensa realidade escolar sustentava-se em uma defesa da des-hierarquização da diversidade, com base em argumentações derivadas, dentre outros, do relativismo cultural desenvolvido na Antropologia. Nesse quadro, desenvolveu-se o postulado de que os alunos dos grupos sociais populares e/ou suas famílias não eram os verdadeiros responsáveis por sua exclusão precoce da instituição escolar. Essa concepção gerou, inclusive, a transformação posterior do termo "fracasso escolar" em uma noção *politicamente incorreta* no campo educacional.

A importância assumida, paulatinamente, pelo fenômeno da desigualdade escolar e a crescente hegemonia da concepção que centrava no espaço da escola o eixo do problema favoreceram o deslocamento de um conjunto de pesquisadores – principalmente aqueles comprometidos com um pensamento crítico ao sistema social – para o interior da escola. Esta foi então transformada, a partir da década de 1980, no *locus* privilegiado das novas pesquisas sobre o tema da desigualdade educacional, desdobradas nos mais diversos focos de interesse. Denominada Pedagogia Crítica,[45] essa vertente se fez dominante no tratamento dessas desigualdades. Ela elencou como problemas de seu programa de pesquisa, dentre outros, as práticas cotidianas dos professores e alunos, os programas curriculares, as atividades pedagógicas diversas e/ou as relações de poder afirmadas pelos atores escolares.

Além da ênfase no espaço intraescolar, a vertente crítica orientava-se por uma dupla perspectiva: em primeiro lugar, a *desculpabilização* dos alunos e famílias dos setores populares pelo "fracasso". A postura gerou a correspondente defesa da coerência e do sentido do *éthos* daqueles e de que os setores populares tinham um efetivo e global compromisso com a escolarização. Em segundo lugar, e de forma concomitante, os proponentes da Pedagogia Crítica afirmavam a crença na possibilidade de a instituição escolar cumprir um papel positivo na transformação social, em função da con-

---

[45] Cf. Saviani, 1983, 1985.

traditoriedade inerente que a caracterizaria como parte constitutiva de uma instância superestrutural reconhecida a partir do olhar de Gramsci.

Assim, o programa de pesquisa voltado para a análise da desigualdade de desempenho a partir da dinâmica intraescolar desenvolveu-se em oposição aos aspectos mais *reprodutores* que se fariam presentes nas teorias *crítico-reprodutivistas*.[46] Na interpretação que foi se fazendo dominante no campo educacional, considerava-se que essas últimas tiveram um papel relevante no sentido de elucidar aspectos até então obscuros na dinâmica educacional, mas que teriam limitado sua capacidade explicativa e sua contribuição à transformação social ao não reconhecerem a historicidade do sistema escolar.

Diante dessa crítica, a Pedagogia Crítica se afirmava a partir de duas intenções: em primeiro lugar, a ambição de construir uma compreensão profunda, e comprometida com os setores sociais populares, da responsabilidade da instituição escolar na produção do fenômeno da desigualdade escolar. Em segundo lugar, os educadores comprometidos com esse projeto propunham e encaminhavam políticas efetivas para a conquista de uma nova hegemonia teórico-prática no campo educacional.

A crise do pensamento estrutural, no final da década de 1970, fortaleceu esse movimento, em uma determinada perspectiva. Com efeito, a decadência da hegemonia estruturalista, no campo acadêmico, foi resultado/veio acompanhada de um movimento de resgate do sujeito, da sua ação no mundo e da sua subjetividade. Além disso, aprofundou-se a compreensão a respeito da *autonomia relativa* da superestrutura, com o termo adjetivo diluindo-se gradativamente.

---

[46] Cf. Saviani, 1985.

O reconhecimento da autonomização das instâncias superestruturais e a revalorização do ator social abriram espaço para se conceber a escola não apenas como reprodutora das relações sociais, mas também como produtora de representações, relações e práticas livres das amarras que a atrelavam, de forma mecânica, ao conjunto social, particularmente à estrutura econômica. Difundiu-se uma concepção de escola como instituição estruturante/estruturada, marcada por relações particulares, fruto das ações desencadeadas pelos grupos sociais que nela se colocavam.

Kuhn (1992) descreveu o desenvolvimento científico como um fenômeno despido de processos cumulativos e lineares. Para o epistemólogo norte-americano, as teorias se substituiriam em um conflituoso processo, em que se faria permanente a ambição das novas visões em dar conta de responder a questões não enfrentadas pelos paradigmas anteriores, assim como demandariam referências distintas daquelas imediatamente anteriores.[47] Essa busca de enfoques inovadores poderia ser provocada, dentre outras razões, pela consideração de que determinado programa de pesquisa já esgotara suas possibilidades de análise do fenômeno visado.

Bourdieu explica essa *necessidade* como uma decorrência das lutas concorrenciais estabelecidas inevitavelmente, em sua opinião, nos *campos* sociais – o que inclui o campo científico. Nesse caso, os grupos hegemônicos no campo específico tendem a assumir estratégias que permitam a manutenção de suas posições dominantes, enquanto os grupos dominados no campo tendem a assumir estratégias que lhes permitam obter posições mais favoráveis.

---

[47] Cf. Bourdieu, 1994a, 1996a; M. Gadotti, 1986.

O programa de pesquisa voltado para a compreensão da dinâmica intraescolar e a intervenção no processo tornou-se hegemônico no campo educacional, em que pese sua diversidade, e mantém ainda hoje seu prestígio acadêmico. Alguns impasses, entretanto, se fizeram presentes em sua formulação, tanto no que diz respeito aos instrumentos conceituais e metodológicos elaborados como nos desdobramentos empíricos e práticos resultantes dessa opção de análise.

Um limite básico decorreu da forma como foi utilizado, por variados autores, o conceito de classe, que orientou grande parte das investigações situadas nesse programa: ao trabalhar com uma visão de classe nos termos propostos por Marx, as pesquisas que trataram da exclusão a partir da ênfase na dinâmica interna à instituição escolar estabeleceram uma apreensão monolítica dos grupos sociais nela envolvidos. Com efeito, a noção de classe foi historicamente marcada por uma lógica polarizadora, pela prioridade da variável econômica e por seu caráter agregador. Ela foi elaborada a partir de uma necessidade clara: identificar/propor um Sujeito transformador, o Ente social que encaminharia a luta revolucionária contra a propriedade privada. As diferenças entre as diversas frações trabalhadoras não eram ignoradas, mas foram obscurecidas em função da valorização da unidade dos trabalhadores contra a opressão do Capital.

O problema desse tipo de concepção é que ela gerou, como afirma Bourdieu (1989: 67),

[...] a representação realista da classe como um grupo delimitado, existente na realidade como realidade compacta, bem recortada, de modo que se saiba se existem duas classes ou mais, ou mesmo quantos pequenos burgueses existem.

Na verdade, vai considerar o sociólogo francês,

> [...] as pessoas estão situadas num espaço social, elas não
> estão num lugar qualquer, isto é, intercambiáveis, como
> pretendem aqueles que negam a existência das "classes
> sociais"; [assim], em função da posição que ocupam nes-
> se espaço muito complexo, pode-se compreender a ló-
> gica de suas práticas e determinar, entre outras coisas,
> como elas vão classificar e se classificar e, se for o caso, se
> pensar como membros de uma classe. (*ibidem*)

A premissa fundamental da noção de classe, a saber,
uma visão conflitualista do espaço social, produzido/pro-
dutor da dinâmica de enfrentamento entre dominantes e
dominados, mantém sua validade. Nas ciências sociais, contudo, em termos operacionais, as classificações e os agrupamentos só podem ser *construídos* a partir de critérios mais
amplos que o fator econômico e nunca *a priori*, mas sim
em um progressivo movimento de apreensão dos elementos constitutivos dos campos sociais. No campo educacional, em particular, a visão tradicional de relações de classes,
que pode ser identificada como *substancialista*, criou restri-
ções consideráveis à apreensão da heterogeneidade dos grupos sociais e dos agentes no espaço social e escolar. Lahire
(1995: 284) considera que:

> As ciências sociais têm bem a tendência de reificar as
> noções de contexto, de meio ambiente, de sociedade, de
> estrutura e colocar diante dessas abstrações reificadas
> indivíduos isolados, fazendo de duas apreensões distintas
> da mesma realidade de interdependência, duas realida-
> des substanciais, dois objetos realmente separados.

Nessa mesma perspectiva, Elias (1994: 25) vai afirmar que:

> [...] para compreendê-los [os fenômenos], é necessário
> desistir de pensar em termos de substâncias isoladas úni-

cas e começar a pensar em termos de relações e funções. [grifos do autor]

Não foi apenas a cristalização da perspectiva *substancialista*, no uso do conceito de classe, que limitou as possibilidades de apreensão da pluralidade das práticas escolares; a defesa das *possibilidades históricas* da instituição escolar, por seu turno, caracterizou-se por um forte componente teleológico. O limite, como afirma Castoriadis (1993: 208), é que

> [...] em toda teleologia, o tempo é abolido, tudo é dirigido a partir do fim, que é estabelecido e determinado desde a origem do processo, estabelecendo e determinando os meios que o farão aparecer como realizado.

Nesse caso, as práticas presentes, as estratégias tecidas, os interesses demonstrados, as conquistas efetivas de objetivos singulares e/ou particulares terminavam por ser desconsiderados em nome de um desejável *objetivo final*; assim, a utopia, muitas vezes, em vez de orientar a conquista do futuro, obscureceu as possibilidades do presente.

A noção teleológica no plano temporal e a perspectiva *substancialista* no plano espacial contribuíram para eclipsar as relações estabelecidas pelos agentes concretos, além dos elementos contingentes que, porventura, se faziam presentes nas realidades investigadas. Os importantes trabalhos de Penin (1989) e Patto (1990) são exemplares das insuficiências na corrente voltada para a análise da exclusão a partir da dinâmica intraescolar.

Os livros das educadoras paulistas transferem para o reino das possibilidades, para o devir, a instituição de uma escola voltada para o atendimento de necessidades específicas dos alunos dos setores populares. A consequência lógica dessa posição materializou-se na afirmação da perversidade *estrutural* da estrutura escolar existente, que se associou a uma visão homogeneizadora das relações entre os grupos sociais populares e as unidades escolares e limitou as possibilidades de uma análise mais rica da diversidade de práticas efetivadas no cotidiano escolar.

Nesse processo estabeleceu-se, em várias oportunidades, no universo das práticas escolares (e estou falando da escola pública, essencialmente) a aproximação paradoxal entre uma perspectiva quase *cínica*, no limite niilista, que afirmava a impossibilidade da ação pedagógica no universo escolar e a remetia para um imaginário passado dourado, e um discurso *crítico*, proponente de um projeto escolar que trabalhava a utopia como negação plena do existente.

O aparente embate desses discursos ocultava uma identidade de fundo, no caso, o desconhecimento/negação das práticas e condições *presentes* para o exercício da ação pedagógica e dos possíveis elementos positivos da instituição concreta. O limite maior desses dois discursos decorria do fato de terem suas atenções voltadas, muito mais, para o que a escola *deveria ser* do que para a busca de compreenderem as relações concretas estabelecidas pelos atores atuantes no sistema escolar, em sua diversidade.

Desconsidera-se que a instituição escolar funciona, também, como um campo de classificação social no qual os diferentes agentes ocupam posições privilegiadas ou desvantajosas, dominantes ou subordinadas, tendo como *interesse* o acúmulo de capitais necessários para manter ou conquistar novas posições sociais. E esse papel da instituição escolar é amplamente reconhecido pelos mais variados agentes dos grupos sociais populares. Uma evidência dessa compreensão é a ênfase desses setores sociais, dentre outros, na conquista do diploma (capital cultural institucio-nalizado) como um dos objetivos fundamentais do percur-so escolar, desconsiderando, muitas vezes, a qualidade de ensino. Muitas vezes, nesses casos, a escola *fraca* é fun-cional, no quadro de estratégias exercitadas, tal como de-monstram as razões que motivaram as opções por escolas consideradas de melhor ou pior qualidade, no universo de entrevistados e de seus irmãos.

A valorização extrema da dimensão *ética* da instituição, em detrimento da dimensão *política* concreta, postura as-sumida por variados grupos críticos dos padrões educacio-nais estabelecidos, foi o princípio gerador de uma prática viciada e autoritária: cada grupo tinha sua própria solução para a resolução dos problemas fundamentais da educação, principalmente no que diz respeito às formulações curricu-lares e metodológicas. Assim, aquele que tinha oportuni-dade de assumir o controle institucional de uma Secretaria de Educação, em qualquer âmbito, desconsiderava todas as práticas anteriormente em vigor, mesmo que situadas, em tese, no seu *campo político/educativo*.

Com isso, os profissionais das unidades escolares viam--se, frequentemente, submetidos a propostas *avançadas e progressistas* para o tratamento da questão pedagógica, formulada por educadores desejosos que suas posições par-ticulares fossem a referência para a melhoria do ensino. A desconsideração das práticas existentes, da história das instituições e das experiências diversas caracterizou, habi-tualmente, os encaminhamentos efetivados pela maioria dos grupos gestores que tinham acesso à máquina pública.

A cidade do Rio de Janeiro passou por, pelo menos, três experiências de *reformulação curricular* desse tipo, entre 1985 e 1993, sem se considerarem nessa classificação as nuances no desenvolvimento das propostas. Pereira (1967) trata, em uma obra que se tornou clássica, das estratégias construídas, pelos profissionais de uma unidade escolar da periferia, para interpretar as determinações oficiais de acordo com suas especificidades locais e suas perspectivas. Na rede municipal do Rio de Janeiro não foi/é diferente.

O desconhecimento da dinâmica sociopolítica cotidiana das unidades escolares é reforçado pela compreensão generalista dos grupos sociais populares.[48] O pressuposto de trabalhos na linha de Maria Helena Souza Patto, por exemplo, era a consideração de que a escola estava em dissonância em relação às concepções, aos valores, conhecimentos e habilidades dos integrantes dos setores populares. O corolário do postulado terminava por ser a noção de que esses agentes e grupos sociais estavam globalmente, por sua vez, em dissonância com a racionalidade e as práticas pedagógicas e/ou de exercícios de poder imperantes no campo escolar.

Com isso, difundiu-se o *discurso da ausência*. Ele ignora que a instituição escolar, já há alguns anos, não é um universo *estranho* à imensa maioria das crianças dos setores populares e que estes tiveram condições, em variados níveis, de apreender a *lógica* vigente no espaço escolar e as múltiplas barreiras que dificultam a permanência. E, o mais significativo, ignorou-se a existência de um número razoável de alunos desses grupos sociais que utilizaram a escola a seu favor. O *discurso da ausência*, na verdade, confunde opressão e exploração social com a *vitimização* da existência. Não busca, então, trazer à superfície as estratégias que muitos atores sociais populares objetivamente desenvolveram para percorrer ou não o labiríntico campo educacional.

---

[48] Cf. Canclini, 1995; Bourdieu, 1990, 1993, 1996; Velho, 1978, 1994; Joyce, 1995.

Associado a esse limite, e em decorrência também do *substancialismo*, desconheceu-se a *circularidade* dos distintos grupos por diferentes configurações sociais, fenômeno que se manifesta mesmo numa sociedade de classes como a capitalista. De acordo com C. Ginzburg (1993: 83),

> [...] o termo circularidade [foi proposto] por M. Bakthin, [e tem como fundamento a ideia de que] entre a cultura das classes dominantes e a das classes subalternas existiu, na Europa pré-industrial, um relacionamento circular feito de influências recíprocas, que se movia de baixo para cima, bem como de cima para baixo, noção oposta ao conceito de absoluta autonomia e continuidade da cultura camponesa. (1987: 24)

Com essa noção, M. Bakthin busca explicar os mecanismos que permitiam aos "homens da idade média participarem igualmente de duas vidas: a oficial e a carnavalesca, e de dois aspectos do mundo: um piedoso e sério, e outro cômico".

A noção de *circularidade* não deve ser confundida com a noção difusionista, que afirma, de forma preconceituosa, serem as concepções incorporadas pelos setores populares manifestações simplificadas e, no limite, deturpadas das concepções geradas pelos grupos sociais dominantes. O difusionismo se manifesta no estudo das desigualdades escolares quando se considera, por exemplo, que as estratégias de permanência na escola dos setores populares são reproduções de práticas próprias e originais dos setores médios, em particular os mais ascéticos.[49]

---

[49] Sobre o uso da noção de *circularidade* na análise dos grupos sociais nas sociedades modernas, ver Velho, 1994; Dauster, 1996; Rupp, 1995; Canclini, 1995.

As vinculações cotidianas entre os campos sociais na Idade Média ampliaram-se na sociedade moderna. Com efeito, em uma grande cidade, por exemplo, o grau de relação entre os diferentes atores nos diferentes campos sociais, assim como o crescimento vertiginoso das redes de informações, faz com que o acesso a um conjunto complexo de informações amplie as possibilidades de formulação das estratégias pessoais. Certeau (1994), reconhecendo essas práticas, busca apreender justamente as diferentes formas de resistência e de estratégias de sobrevivência à ordem social encaminhadas pelo homem comum, a partir de procedimentos que produzem um cotidiano carregado de historicidade.

O que se tornou hegemônico no campo educacional, entretanto, foi um discurso paradoxal: centrado nas possibilidades das relações contraditórias existentes no espaço escolar, não concedeu espaço para uma apreensão multifacetada das ações efetivadas pelos principais interessados, no caso, os alunos e famílias dos setores populares. Assim, fez-se lógico no plano investigativo o aprofundamento do tratamento de temáticas circunscritas ao espaço escolar. E, em termos de intervenção prática, as proposições centradas apenas na especificidade da escola como sistema de difusão de conteúdos determinados contribuíram para o empobrecimento do fenômeno pedagógico, cada vez mais reduzido ao plano da relação de aprendizagem professor/aluno.

A década de 1980 foi um período em que se falou abertamente da dimensão política da instância escolar. Paradoxalmente, nela assistiu-se ao obscurecimento da importância das análises socioculturais nas práticas pedagógicas escolares. Os vínculos entre escola e os demais grupos sociais deixaram, gradativamente, de ter a devida importância no processo de qualificação dos profissionais da educação. Além disso, o tema, antes considerado intrínseco ao processo pedagógico, foi deixando de ser tratado no espaço institucional das unidades escolares. A diminuição de importância da dimensão sociopolítica e a secundarização dos vínculos entre a escola e os campos sociais no campo acadêmico provocaram, de certa forma, a própria diluição da contradição, categoria considerada, originalmente, essencial na superação dos reducionismos denunciados, então, nas *teorias da reprodução*.

A consequência do processo acima exposto foi que o tema da desigualdade escolar passou a ser trabalhado em uma perspectiva diferenciada da adotada em décadas anteriores: a melhoria da *qualidade* da escola tornou-se o problema educacional por excelência. E o campo de respostas a esse problema foi hegemonizado por um movimento centrado nas teorias de aprendizagem. Caminhou-se, assim, de uma dimensão ético-coletiva para outra, racional-individual. Difundiu-se um novo ideário, onde o desafio da escola seria, fundamentalmente, formar, mais do que um *cidadão crítico*, um indivíduo com autonomia cognitiva.

Com isso, as proposições didáticas vão sendo formuladas em um quadro no qual a *produção da inteligência* vai adquirindo primazia em relação à *produção da consciência crítica*. Teóricos como Vigotsky e Piaget, difundidos por Ferreiro, Coll, Luria e outros, foram se tornando hegemônicos no campo curricular e no desenvolvimento da didática, contribuindo para a difusão de um processo de *(re)psicologização* da prática pedagógica. A implantação do *construtivismo* passou a ser, então, uma bandeira assumida por várias Secretarias de Educação, principalmente algumas dirigidas por grupos políticos comprometidos com a democracia e a ampliação da cidadania.

Vale salientar que a crítica à dicotomia que foi sendo construída não significa uma tomada de posição contrária ao investimento na produção da autonomia intelectual, até porque esse tipo de competência é a base para o desenvolvimento de qualquer pensamento problematizador do existente. Os problemas manifestam-se, em primeiro lugar, quando a busca dessa *autonomia intelectual* torna-se um fim em si, o que provoca a revitalização, na prática, de uma lógica educacional descomprometida com o contexto sócio-histórico. O que recupera, de forma velada, a velha tese da neutralidade pedagógica.

Em segundo lugar, há um problema maior quando alguns autores, como Olinto (1993), defendem a existência objetiva de uma defasagem cognitiva nas crianças dos setores populares e que a tentativa de idealizar as competências cognitivas dessas crianças seria, no fundo, uma tese conservadora. Longe de querer "idealizar" alguma coisa, estabelecer uma relação direta entre defasagem cognitiva [que mais parece um eufemismo para a velha noção de deficiência] e grupos sociais nada mais é do que a velha prática, homogeneizadora, de considerar determinado atributo, em geral mais característico de um grupo social, e utilizá-lo como critério comparativo.

Curiosamente, então, a hegemonia no campo educacional ambicionada pelos proponentes dos *conteúdos crítico-sociais*, dentre outros, foi atingida, paradoxalmente, pelo *construtivismo*: difundido, em geral, como uma *metodologia*, nele se recupera o velho mito ambicionado por Comenius – a possibilidade de um método que *ensine tudo a todos*. Assim, essa atualizada proposição se tornou o instrumento, por excelência, a ser utilizado para dar conta das limitações das práticas docentes efetivadas na escola. Na verdade, o retorno da aprendizagem cognitiva como a panaceia educacional dos anos 1990, embora em uma perspectiva apresentada como progressista, apenas expressou a recorrente lógica da curvatura da vara no campo educacional.[50]

A compreensão das desigualdades escolares como responsabilidade exclusiva da instituição escolar contribuiu para a criação de uma série de *efeitos perversos*. Boudon (1977: 14) define aquelas "ações que contribuem para agravar uma situação que se busca superar". Com efeito, vários pesquisadores, professores de instituições acadêmicas e mesmo técnicos governamentais *identificaram* e difundiram a visão de que os agentes das unidades escolares, principalmente os professores, eram os principais responsáveis pela exclusão precoce e, consequentemente, pela inoperância do sistema público de ensino.

Por outro lado, a maioria dos profissionais da rede pública experimentava a precarização continuada de suas condições de trabalho e de sua posição social; ao mesmo tempo, era bombardeada por uma literatura educacional e cursos de atualização, ministrados, em geral, por profissionais das universidades ou dela oriundos, que enfatizavam o "fracasso" do sistema escolar e dos professores, em particular, no cumprimento de sua função social. Subjazia a posição de que a responsabilidade pela superação do problema encontrava-se na esfera do sistema escolar. A situação posta contribuiu para diminuir a importância, no rol de soluções possíveis do problema, da busca de articulações mais intensas e criativas com as famílias e a comunidade onde a escola se inseria.

O *efeito perverso* ocorreu pelo fato de a transferência das responsabilidades pelo "fracasso" dos indivíduos e gru-

---

[50] A curvatura da vara é uma metáfora e uma prática utilizada mais frequentemente na história do que seria desejável. Ela é expressa por Lenin *apud* Gruppi, 1979; por Mao *apud* Bourdieu, 1996a; e, mais próximo de nós, por Saviani, 1985.

pos para a instituição não ter eliminado, mas se associado à noção *meritocrática* e ao mito do dom. Afinal, essas representações continuavam sendo afirmadas por muitos atores envolvidos com a unidade escolar, quer fossem profissionais da instituição, alunos ou pais. Assim, os alunos dos setores populares continuaram, em geral, sendo representados como seres incapazes de assimilar os conhecimentos veiculados pela escola. De forma concomitante, a instituição vai sendo progressivamente representada, de forma particular entre os profissionais do ensino fundamental e médio, como incapaz de cumprir seu papel social.

Dentro dos devidos limites, pode-se avaliar que a proposição dos CIEPs como uma rede paralela de ensino em detrimento da *carcomida* rede pública regular, postura afirmada por Darcy Ribeiro, e as realizações de Guiomar N. Mello como pesquisadora e como secretária municipal de Educação de São Paulo auxiliaram na difusão de proposições unifatoriais sobre os problemas das instituições escolares e, paradoxalmente, na estigmatização dos professores e na precarização das suas condições de trabalho.

Temos, portanto, um quadro, no que concerne aos trabalhos sobre as desigualdades escolares, em que a pretensa positividade da escola proclamada nas décadas de 1950 e 1960 foi substituída por uma negatividade monolítica. Nessa perspectiva, minimizou-se, na maioria das vezes, a importância assumida pela instituição no quadro de classificação social, assim como os variados sentidos que historicamente ela assumiu para o conjunto dos setores sociais, dentre os quais os mais desprovidos das variadas espécies de capitais.[51]

Na busca de revelar-se a pretensa essência do aparato escolar ignorou-se seu aspecto fenomênico, considerado

---

[51] Cf. Bourdieu, 1990, 1994.

mistificador. Na verdade, definiu-se como caráter essencial da escola o que era uma de suas facetas. E ela é, com efeito, pródiga em facetas – todas, provavelmente, com bases efetivas para serem estabelecidas. Dentre elas, o reconhecimento de que, mesmo reprodutora, a escola contribui para um determinado nível de reclassificação social, que seria, talvez, muito mais difícil de conseguir sem ela. E nessa contraditoriedade objetiva ela manifesta seu caráter estruturante/estruturado e, aí sim, sua relativa autonomia.[52]

A curta permanência na escola de um conjunto expressivo de alunos de origem popular é um dos principais problemas educacionais brasileiros. No tratamento da questão, entretanto, não se pode desconsiderar os que permanecem. Embora poucos proporcionalmente, eles agregam um contingente expressivo em termos absolutos. No que diz respeito ao papel desempenhado na dinâmica social, sua expressividade cresce. O fato ocorre em virtude da contradição de suas posições nos diferentes campos em que atuam, seja o profissional, o familiar ou o grupo social de vizinhança.

As inserções plurais e a insatisfação com as formas usuais de classificação profissional, que valorizam de modo acentuado o acúmulo do capital social e econômico, os tornam comumente críticos do sistema sociopolítico tradicional. Logo, o fato de não ser a instituição equalizadora de oportunidades sociais, de resto, como nenhuma outra, não impede que a escola pública seja o principal instrumento, para muitos indivíduos de origem popular, de ampliação de seu campo de possibilidades sociais.

O ponto de partida para essa postura até aqui expressa foi a reflexão sobre minha própria experiência: a vida que

---

[52] Cf. Petitat, 1993.

hoje tenho, o trabalho do qual vivo e a produção cultural que valorizo foram conquistados através da mediação da instituição escolar. Isso apesar de, levando-se em conta os fatores formalmente apresentados como definidores do fracasso, eu ser um membro típico do contingente destinado a dela sair precocemente. De alguma forma, consegui captar as *regras do jogo* e revertê-las a meu favor. E muitos outros, nas mesmas condições ou em piores, também o fizeram.

Isso não significa que proponho resgatar, o que seria absoluta ingenuidade, o *otimismo pedagógico*. Reconheço os elementos perversos da escola. Mas ela é mais do que isto, perversa; ou contraditória apenas no plano discursivo ou em uma lógica histórico-estrutural. Sua complexidade é expressa pela própria ampliação, em números absolutos cada vez mais significativos, do contingente de jovens dos grupos sociais populares que ingressam na universidade, justamente no período histórico de maior decadência do ensino público. A diminuição das taxas de reprovação e a ampliação das formas alternativas de seriação, tais como o ensino *supletivo* e o sistema modular, associadas à ampliação de vagas no ensino superior, provocaram o aumento crescente de candidatos ao ingresso na universidade. A criação, por seu turno, de experiências pedagógicas complementares ao sistema formal de ensino, tais como os pré--vestibulares comunitários, gera novas dinâmicas educacionais, em que a escola é um dos elementos a mais.

A construção, portanto, de novas formas de interpretação da instituição escolar, em particular a escola pública, é um caminho necessário e promissor. E ele pode sustentar--se, dentre outras possibilidades, em recortes microestruturais e na microssociologia. Instrumento utilizado para a realização de uma análise particular do fenômeno social, a microssociologia ganhou importância e desenvolveu-se como uma forma de auxiliar, dentre outras coisas, a compreensão das práticas e representações desenvolvidas no campo de relações do espaço cotidiano da unidade escolar. De acordo com Forquin (1994: 43),

> [...] a ressurgência de uma perspectiva microssociológica estava na origem de uma glaciação sociológica da educação, na medida em que permitiu sua liberação de um certo número de paradigmas deterministas que a bloqueavam. Sem derrubar as teorias da reprodução – porque uma leitura atenta, por exemplo, da obra de Bourdieu revela um pensamento infinitamente mais complexo e próximo da prática do que as caricaturas que, por vezes, são refutadas – é inegável que seu próprio poder tinha levado a um esgotamento dos estudos empíricos, que repensavam eternamente as mesmas conclusões, aliás adquiridas de antemão. O renovado interesse pelo estudo das interações e negociações entre autores sociais mostrou a riqueza da "improvisação situacional", que não pode ficar reduzida a uma simples projeção dos esquemas gerais no particular.

Aliadas a isso, a crise continuada das explicações e proposições teleológicas, racionais-causais e universalizantes e a valorização do espaço escolar em sua especificidade também contribuíram para o desenvolvimento de discursos centrados nos caminhos singulares e/ou localizados de investigação e intervenção.

Na década de 1990, a partir da influência de setores da Sociologia Educacional francesa,[53] iniciou-se no campo educacional brasileiro uma revalorização dos vínculos entre as práticas efetivadas no espaço escolar e suas relações com as práticas afirmadas em outros espaços sociais.

---

[53] Cf. Forquin, 1995.

Assim, a questão do fracasso ou do sucesso, por exemplo, passou a ser pensada em novos termos. Mais que a busca da causa do fenômeno ou da identificação de seu *resultado*, abriram-se possibilidades para um programa de pesquisa que objetiva a apreensão do que Nogueira (1991: 4) denominou o "sistema complexo de relações" inter e intragrupais, colocando esse objeto no

> [...] quadro de um modo de análise relacional, em que estratégias, comportamentos e práticas de cada grupo social face ao mercado escolar [são] percebidos em referência a outros tipos de práticas e de significados, ou mesmo sua ausência.

Nessa perspectiva, algumas dicotomias tradicionais perdem significado e se revigora a esperança de superação dos limites entre subjetividade/objetividade, micro/macro e temporalidade/espacialidade. O rigor científico, o desenvolvimento de um estudo sistemático e ordenado do real, não se esvai, mas assume um significado compatível com a complexidade das relações sociais atualmente estabelecidas e com a falta de referências universais doutrinárias, seja científicas ou políticas. O resultado dessa produção é muito recente, mas, sem dúvida, sua abrangência pode revitalizar, dentre outras, a Sociologia da Educação e abrir espaço para novas formas de se conceber uma apreensão mais global das práticas exercidas pelos homens e mulheres concretos e suas instituições educacionais.

Posfácio

O presente livro é fruto de minha pesquisa de doutoramento, realizada entre os anos de 1995 e 1999. O trabalho é uma versão simplificada da tese apresentada na conclusão do curso. A obra foi lançada em 2003 e teve uma ótima caminhada desde lá: foram feitas três reimpressões, além da edição original – em um total de 4 mil exemplares, número expressivo para um trabalho acadêmico no Brasil –, e ela se tornou referência no campo do estudo do desempenho escolar dos integrantes dos grupos sociais populares. Além disso, graças à sua linguagem propositalmente fluida e acessível, ela se tornou valiosa como fonte de inspiração e reflexão para muitos jovens oriundos de periferias, favelas e outros territórios populares que ambicionavam chegar à universidade, mas não julgavam ser capazes de realizar esse projeto.

Na conclusão da tese, em 1999, eu fazia uma consideração sobre como ela se articulou com minha atuação e a de outros companheiros de origem e caminhada, resultando na construção de uma intervenção ampliada na Favela da Maré, território onde vivi muitos anos e no qual realizei a pesquisa de campo. A ação em questão foi mais expressiva, em particular, no campo da Educação e da Cultura. Muita coisa aconteceu depois daquele momento.

No âmbito acadêmico, o campo de estudo do desempenho escolar foi ampliado no Brasil, com vários núcleos universitários desenvolvendo pesquisas sobre o tema tanto entre o público oriundo da rede pública de ensino como da rede privada, com destaque para o trabalho de Zaia Brandão, minha querida e valiosa orientadora na PUC-Rio. Na maioria desses estudos, foram acentuados o papel da família no processo educacional e sua influência na estratégia escolar do estudante. O fato, naturalmente, não nega a importância de outras variáveis, tais como as econômicas, as culturais, as endógenas ao universo escolar etc., no processo de definição das estratégias educacionais. Do mesmo modo, o peso das inserções em redes sociais específicas é um elemento central na compreensão das trajetórias em geral, e mais ainda entre os jovens pobres. Entender, portanto, a relação entre as características e orientações subjetivas dos sujeitos – ponto central de referência, na perspectiva da "escolha" nos termos de Sartre – e os campos sociais nos quais desenvolvem a incorporação de seu *habitus* continua sendo o caminho central para a interpretação devida do fenômeno do desempenho escolar dos agentes sociais.

Além de participar da criação do CEASM, depois Redes da Maré, e na perspectiva de pensar um projeto global de intervenção na cidade, investi na fundação da organização social denominada Observatório de Favelas. Criada, inicialmente, como um programa do Instituto de Estudos Trabalho e Sociedade (IETS), em 2001, a organização construiu sua sede na Maré e, desde 2003, tem atuado como uma Organização da Sociedade Civil de Interesse Público (OSCIP). O Observatório busca construir uma atuação tanto no Rio de Janeiro como em outros espaços do território nacional. Ele privilegia a produção de estudos, metodologias e tecnologias sociais que permitam ampliar as possibilidades dos moradores dos territórios populares de afirmarem o seu devido "direito à cidade". Isso implica a garantia de seus direitos humanos, em uma perspectiva abrangente, assim como o reconhecimento e a legitimação do direito à diferença.[54]

---

[54] Para mais informações sobre o Observatório de Favelas, acesse www. observatoriodefavelas.org.br.

Desde o nascimento, a Redes e o Observatório de Favelas se tornaram importantes referências na produção de conceitos e práticas que contribuem para colocar em questão a realidade social e melhorar as condições de vida de integrantes dos grupos sociais populares.

A atuação das organizações em pauta, e de muitas outras surgidas desde então, se inscreve em um quadro conjuntural no qual o acesso dos jovens pobres à universidade, dentre outras, tornou-se uma questão política de maior relevância. Isso em função do intenso e amplo processo de mobilização de diversos grupos sociais em torno da bandeira das "Ações Afirmativas", expressa particularmente no campo educacional. A aludida mobilização foi visibilizada de forma mais expressiva através da luta pela reserva de "cotas" nas universidades públicas para alunos dos grupos sociais populares, negros e/ou índios. O tema, particularmente a reserva de vagas para os negros, tem provocado um acalorado debate no mundo social brasileiro, com posições que se expressam de forma intensa e para além do simples debate intelectual.

Nesse caso, o pano de fundo do debate é a questão do racismo do Brasil, suas formas de manifestação e a importância de uma postura efetiva dos organismos estatais para que suas consequências mais diretas sejam superadas. Levo em conta, nesse caso, a inegável desvantagem da população negra – aqui considerados os que se declaram pretos ou mestiços – nos indicadores sociais, educacionais, culturais, econômicos e no campo da segurança pública.

Independentemente das disputas localizadas no campo das "Ações Afirmativas", na primeira década do século XXI ocorreu um significativo incremento no ingresso de estudantes de origem popular[55] na universidade, tanto pública

---

[55] Como critérios definidores do "estudante de origem popular, uso como

como privada. A principal razão para isso foi o forte investimento do governo Lula, iniciado em 2003, na ampliação das vagas nas universidades públicas e na criação de programas como o ProUni, que oferecem bolsas integrais e parciais para estudantes de origem popular em instituições privadas do ensino superior.

Assim, apesar da necessidade de ampliar de forma mais expressiva o acesso democrático à universidade, pode-se considerar que a questão do acesso é um problema que está sendo enfrentado de forma inovadora e massiva pelo governo federal e alguns governos estaduais. Desse modo, a tendência é que os limites para o ingresso de jovens pobres interessados em cursar o ensino superior sejam gradativamente eliminados.

Um problema que adquire maior relevância nessa conjuntura, e é agravado pela ampliação do acesso, é a permanência dos jovens de origem popular na universidade. De fato, o maior ingresso desse grupo social nas instituições públicas, em particular, não altera o caráter elitista, preconceituoso, excludente e intolerante, em geral, da instituição para com os jovens pobres. Dominada por uma lógica histórica centrada na pretensa *meritocracia* e na *excelência*, a dinâmica universitária invisibiliza os jovens pobres, ignorando suas demandas financeiras, acadêmicas, técnicas, sociais e subjetivas. Desse modo, esses jovens são vistos, em várias situações, como estudantes de segunda categoria, não conseguindo se qualificar como pesquisadores, como profissionais de ponta em suas áreas de formação e/ou

referência a cor/etnia – negro ou índio; a origem social dos pais – baixa escolaridade, baixa renda e trabalho em ofícios manuais; a origem escolar – estudante de escola pública municipal ou estadual; a moradia – residência em territórios populares, como favelas, ocupações, invasões, vilas, assentamentos e espaços similares.

como atores sociais relevantes em seus espaços de origem e em outros espaços sociais.

Nesse sentido, e considerando a trajetória de *Por que uns e não outros?*, seu melhor resultado foi estimular a criação de uma política de permanência de estudantes de origem popular nas universidades federais, que se materializou no maior programa de ações afirmativas do Ministério da Educação: Conexões de Saberes.

O Conexões nasceu em 2002, no Observatório de Favelas. Ele se caracterizou como um projeto destinado à formação de jovens intelectuais em sete favelas cariocas. Denominado Rede de Universitários de Origem Popular (RUEP), sua finalidade era criar mecanismos que permitissem a jovens das favelas cariocas ampliarem seu tempo e seu espaço social, se qualificando como quadros técnicos e políticos, e interferindo de forma efetiva em seu território de moradia.

No desenvolvimento do projeto evidenciou-se que a mudança na dinâmica universitária era fundamental para garantir a permanência daqueles estudantes na universidade, com uma qualificação efetiva. Da mesma forma, atuar na dinâmica institucional do nível superior era central para contribuir na garantia da devida identidade dos jovens com seu lugar de origem. Afinal, como busco demonstrar na fábula do corvo e dos pombos, a hegemonia na universidade, especialmente a pública, de valores muito diversos dos presentes no mundo popular faz com que muitos jovens pobres não se reconheçam mais em seu lugar de origem depois que "reconvertem" os seus *habitus* e acabem se conformando aos valores dominantes no mundo acadêmico. Nesse caso, o problema não é que eles mudem de território, o que comumente acontece, mas que mudem de "lugar social". Nesse processo de "desterritorialização", muitos terminam por (re)afirmar e reforçar um conjunto de juízos discriminatórios e estereotipados em relação aos territórios populares e seus moradores. Nesse quadro, em geral, as pessoas oriundas dos setores populares, no afã de afirmarem seu novo lugar social, terminam por ser mais discriminatórias com os pobres do que as pessoas que pertencem historicamente àqueles grupos sociais.

Em 2003, a construção da RUEP nas universidades foi iniciada na UFF, onde trabalho desde 1992, e na UERJ, a primeira instituição pública brasileira a adotar o sistema de cotas para estudantes negros oriundos da rede pública de educação e deficientes físicos. Em 2004, aconteceu o grande salto do projeto: com a posse de Ricardo Henriques na recém-criada Secretaria de Alfabetização e Diversidade – SECAD/MEC, nela foi criado o programa Conexões de Saberes. Fui o coordenador nacional da iniciativa, juntamente com Jorge Barbosa, que é também professor da UFF e parceiro fundamental na coordenação geral do Observatório de Favelas desde sua implantação em cinco universidades federais – UFF, UFRJ, UFMG, UFPE e UFPA –, até 2007, quando ele estava implantado em 33 universidades. Em 2005, o Observatório de Favelas recebeu o Prêmio Nacional de Tecnologia Social na área de Educação da Fundação Banco do Brasil pela iniciativa. Em 2008, o programa foi institucionalizado na SECAD/MEC e, em 2010, ele ampliou o seu escopo, se integrando ao PET, programa de tutoria de estudantes de graduação das universidades federais. O programa passou então a ser denominado Conexões/PET e o ingresso das instituições nele se tornou universal, sendo realizado através de editais destinados a todas as instituições.

Uma das iniciativas mais significativas no âmbito dos trabalhos realizados no Conexões de Saberes foi a publicação da coleção "Caminhadas". Com 33 livros – cada um

com mil exemplares – de todas as universidades partici-
pantes do programa, a coleção consistiu na escrita, por parte de todos os estudantes integrantes do Conexões, de sua
trajetória escolar até chegar à universidade. Esse trabalho
buscava visibilizar a caminhada desses estudantes nas suas
instituições, estimular a prática da escrita e desenvolver o
sentimento de compromisso e identidade com sua origem
social. Esse, certamente, foi o maior desdobramento objetivo de *Por que uns e não outros?* e me enche de orgulho e
consciência do dever cumprido em relação ao trabalho que
me propus a fazer no meu doutoramento, há tantos anos.[56]

Assim, concluindo o presente texto, tivemos um longo
avanço no sentido de ampliar as oportunidades educacionais dos estudantes de origem popular desde quando comecei a lidar com o tema, em 1995, e isso decorreu de um
grande esforço de milhares de pessoas comprometidas com
a democratização da educação. Apesar disso, ainda há um
longo caminho para que os saberes, vivências e práticas das
pessoas pertencentes aos grupos sociais populares sejam
efetivamente valorizados e sirvam de referência para a
construção de novas formas de interpretação e intervenção
na realidade social. O investimento na partilha permanente
dos saberes acadêmicos e daqueles oriundos da prática cotidiana, em especial dos grupos sociais populares, que têm
menos espaços de expressão, é um caminho fundamental
para que as nossas universidades possam, de fato, funcionar
como centros democráticos de conhecimentos e práticas
sociais inovadoras. E, cabe salientar, esse processo começa
na rede pública de educação, em todos os seus níveis e es-

---

[56] Mais informações sobre o programa Conexões de Saberes podem ser
obtidas nos sites do Ministério de Educação e do Observatório de
Favelas.

calas. Para isso, a atuação dos professores da rede básica de ensino é central, pois eles continuam sendo referências fundamentais nas trajetórias escolares de muitos adolescentes e crianças dos territórios populares.

Nesse caminho sigo, nele gosto de viver e atuar, como um sujeito social que busca criar pontes entre universos muito afins, e que precisam descobrir-se mais e mais. Que sejamos sempre parceiros na construção dessa utopia centrada no presente, em cada gesto do cotidiano.

Bibliografia

ALTHUSSER, Louis. *Ideologia e aparelhos ideológicos do Estado.* Lisboa: Editorial Presença/Martins Fontes, 1980.

BAKHTIN, Mikhail. *A cultura popular na Idade Média e no Renascimento.* Brasília: Hucitec/UnB, 1993.

BOUDON, Raymond. *Efeitos perversos e ordem social.* Rio de Janeiro: Zahar, 1977.

———. *A desigualdade de oportunidades.* Brasília: UnB, 1981.

BOURDIEU, Pierre. *Desencantamento do mundo.* São Paulo: Perspectiva, 1979.

———. *Coisas ditas.* São Paulo: Brasiliense, 1990.

———. *Poder simbólico.* Lisboa: Difel, 1994.

———. *Raisons pratiques.* Paris: Du Seuil, 1994a.

———. *A ilusão biográfica.* In: FERREIRA, Marieta de Moraes; AMADO, Janaina (orgs.). *Usos e abusos da História Oral.* Rio de Janeiro: Fundação Getúlio Vargas, 1996. p. 183-194.

———. *A doxa e a vida cotidiana: uma entrevista.* In: ZIZEK, Slavoj (org.). *Um mapa da ideologia.* Rio de Janeiro: Contraponto, 1996a. p. 265-278.

BOURDIEU, Pierre; PASSERON, Jean-Claude. *A Reprodução: elementos para uma teoria do sistema de ensino.* 2. ed. Rio de Janeiro: Livraria Francisco Alves, 1982.

CASTORIADIS, Cornelius. *A instituição imaginária da sociedade.* 3. ed. São Paulo: Paz e Terra, 1991.

CANCLINI, Néstor. *Consumidores e cidadãos.* Rio de Janeiro: UFRJ, 1995.

CERTEAU, Michel de. *A invenção do cotidiano.* 2. ed. Petrópolis: Vozes, 1996.

CHARTIER, Roger. *A visão do historiador modernista.* In: FERREIRA, Marieta de Moraes; AMADO, Janaina (orgs.). *Usos e abusos da História Oral.* Rio de Janeiro: Fundação Getúlio Vargas, 1996. p. 214-220.

CONNELL, R. W. *et alii. Estabelecendo a diferença: escolas, famílias e divisão social.* 7. ed. Porto Alegre: Artes Médicas, 1995.

DAUSTER, Tânia. *Construindo pontes – a prática etnográfica e a educação.* In: DAYRELL, Juarez (org.). *Múltiplos olhares.* Belo Horizonte: UFMG, 1996.

ELIAS, Norbert. *Sociedade dos indivíduos*. Petrópolis: Vozes, 1994.

FERREIRA, Marieta de Moraes. *História Oral*. Rio de Janeiro: Diadorim, 1994.

FORQUIN, Jean C. *Escola e cultura*. Porto Alegre: Artes Médicas, 1994.

———. *Sociologia da Educação*. Petrópolis: Vozes, 1995.

GADOTTI, Moacir. *Pensamento pedagógico brasileiro*. São Paulo: Ática, 1986.

GINZBURG, Carlo. *O queijo e os vermes*. São Paulo: Companhia das Letras, 1987.

GOUVEIA, Aparecida J. A pesquisa sobre educação no Brasil: de 1970 para cá. *Cadernos de Pesquisa*. São Paulo: Fundação Carlos Chagas, n. 19, dez. 1976.

———. Orientações teórico-metodológicas da Sociologia da Educação no Brasil. *Cadernos de Pesquisa*. São Paulo: Fundação Carlos Chagas, n. 55, nov. 1985.

GRUPPI, Luciano. *O pensamento de Lenin*. São Paulo: Paz e Terra, 1979.

HUTCHINSON, Bertram. *Mobilidade e trabalho*. Rio de Janeiro: INEP, 1960.

INSTITUTO PEREIRA PASSOS. *Índice de Qualidade de Vida Urbana nas favelas cariocas*. Rio de Janeiro, 1997.

JAPIASSU, Hilton; MARCONDES, Danilo. *Dicionário básico de filosofia*. Rio de Janeiro: Zahar, 1989.

JOYCE, Patrick (org.). *Class*. Nova York: Oxford University Press, 1995.

KUHN, Thomas. *A estrutura das revoluções científicas*. São Paulo: Perspectiva, 1994.

LAHIRE, Bernard. *Tableaux de familles: Heurs et malheurs scolaires en millieux populaires*. Paris: Galimard/Le Seuil, 1995.

LEVI, Giovanni. *Usos da biografia*. In: FERREIRA, Marieta de Moraes; AMADO, Janaina (orgs.). *Usos e abusos da História Oral*. Rio de Janeiro: Fundação Getúlio Vargas, 1996. p. 167-181.

NOGUEIRA, Maria Alice. Trajetórias escolares, estratégias culturais e classes sociais. *Revista Teoria e Educação*, Porto Alegre, n. 3, 1991.

NORA, Pierre (org.). *Ensaios de Ego-História*. Lisboa: Edições 70, 1989.

PATTO, Maria Helena Souza. *A produção do fracasso escolar*. São Paulo: T. A. Queiroz, 1990.

PENIN, Sônia. *Cotidiano e escola: a obra em construção*. São Paulo: Cortez, 1989.

PEREIRA, Luis. *A escola numa área metropolitana*. São Paulo: Pioneira das Ciências Sociais/EDUSP, 1967.

PETITAT, André. *Produção da escola, produção da sociedade*. Porto Alegre: Artes Médicas, 1993.

RUPP, Jan C. C. *Les Classes populaires dans un espace social à deux dimensions. Actes de la Recherche Social*. Paris: Minuit, ago. 1995.

SAVIANI, Dermeval. *Escola e democracia*. São Paulo: Cortez, 1985.

———. *Tendências e correntes da educação brasileira*. In: BOSI, Alfredo et alii (org.). *Filosofia da educação brasileira*. Rio de Janeiro: Civilização Brasileira, 1983.

SILVA, Gilda Olinto do Valle. *Reprodução de classe e produção de gênero através da cultura*. Tese (doutorado em Comunicação) – Faculdade de Comunicação – UFRJ, Rio de Janeiro, 1993.

SILVA, Tomás Tadeu. *Identidades terminais*. Petrópolis: Vozes, 1996.

SNYDERS, George. *Escola, classe e luta de classes*. Lisboa: Moraes, 1981.

VELHO, Gilberto. *Observando o familiar*. In: *A aventura sociológica*. Rio de Janeiro: Zahar, 1978.

———. *Subjetividade e sociedade: uma experiência de geração*. 2. ed. Rio de Janeiro: Zahar, 1986.

———. *Projeto e metamorfose: antropologia das sociedades complexas*. Rio de Janeiro: Zahar, 1994.

VENTURA, Zuenir. *Cidade partida*. São Paulo: Companhia das Letras, 1994.

WILLIS, Paul. *Aprendendo a ser trabalhador: escola, resistência e reprodução social*. Porto Alegre: Artes Médicas, 1991.

3ª edição revista, agosto de 2018

Impressão: Stamppa, Rio de Janeiro
Papel da capa: Cartão supremo 250g/m²
Papel do miolo: Pólen bold 70g/m²

Tipografia: Minion, 12/14,5